Yr Angen am Furiau

Darlithoedd 2005-2009
Fforwm Hanes Cymru

Gol: Tegid Roberts

Argraffiad cyntaf: Gorffennaf 2009

Rhif Llyfr Safonol Rhyngwladol:
978-1-84527-233-3

Cynllun clawr: Sian Parri

Mae'r cyhoeddwr yn cydnabod cefnogaeth ariannol
Cyngor Llyfrau Cymru

Argraffwyd a chyhoeddwyd gan Wasg Carreg Gwalch,
12 Iard yr Orsaf, Llanrwst, Dyffryn Conwy, LL26 OEH.
01492 642031
01492 641502
llyfrau@carreg-gwalch.com
lle ar y we: www.carreg-gwalch.com

Cynnwys

Fforwm Hanes Cymru

Sefydlwyd y Fforwm mewn cyfarfod cyhoeddus a gynhaliwyd ar ddydd Mawrth 3 Awst 1999, ym Mhabell y Cymdeithasau ar faes Prifwyl Môn. Roedd hynny mewn ymateb i alwad gan gynrychiolwyr nifer o gymdeithasau hanes ac ymddiriedolaethau treftadaeth oedd yn bresennol, am un sefydliad i gysylltu ynghyd y gwahanol gymdeithasau yng Nghymru sydd yn ymwneud â'i hanes a'i threftadaeth. Ystyrir y Fforwm felly fel corff sy'n gweithredu fel ambarél dros y cymdeithasau hynny sydd wedi ymuno ag ef. Mae'r Fforwm yn gyfrwng i rannu gwybodaeth am weithgareddau gaiff eu cynnal ganddynt.

Ers ei sefydlu yn 1999, mae'r Fforwm wedi cynnig cyfle:

- i wahanol gymdeithasau hanes, ymddiriedolaethau treftadaeth ac archeolegol sydd â chysylltiadau Cymreig, anfon cynrychiolydd i'r pwyllgorau gwaith sy'n cael eu cynnal yn rheolaidd er mwyn trafod a rhannu gwybodaeth am y gwahanol weithgareddau gaiff eu cynnal ganddynt.
- i'r aelodau rannu uned arddangos ar Faes yr Eisteddfod Genedlaethol er hybu gwybodaeth am, a hyrwyddo eu gweithgareddau hwy, a hanes Cymru'n gyffredinol.
- i'r aelodau osod stondin mewn arddangosfa yn Amgueddfa Sain Ffagan fel rhan o'i gweithgareddau Calan Mai.

Mae'r Fforwm hefyd ers ei sefydlu wedi:

- trefnu darlith flynyddol yn yr Eisteddfod Genedlaethol. Cafodd cyfrol o'r enw 'Yr Angen am Owain' yn cynnwys y bum darlith rhwng 2000 a 2004 ei chyhoeddi ym Mhrifwyl Eryri a'r cylch yn 2005, a gobeithir cyhoeddi yr ail gyfrol, 'Yr Angen am Furiau' sy'n cynnwys y pum darlith a draddodwyd yn y Prifwyliau rhwng 2005 a 2009 yn ystod Eisteddfod y Bala a'r cyffiniau eleni.
- trefnu tair Cynhadledd Flynyddol ym Mhlas Tan-y-Bwlch ar destunau hanesyddol amrywiol gyda rhai arbenigwyr blaenllaw yn traddodi darlithoedd ar destunau megis daeareg, diwydiant ac Oes y Goleuo.

Cyflwyniad

Mae'n bleser mawr i mi, fel Cadeirydd Fforwm Hanes Cymru, gael ysgrifennu'r cyflwyniad byr hwn i'r gyfrol hon 'Yr Angen am Furiau'. Fel y gwelwch, mae'n cynnwys pump o ddarlithoedd a draddodwyd yn flynyddol rhwng 2005 a 2009 ym Mhabell y Cymdeithasau ar faes yr Eisteddfod Genedlaethol. Ym mhrifwyl Eryri a'r Cylch 2005 cawsom dipyn o hanes Landlordiaeth yn yr hen Sir Gaernarfon gan yr Athro William Griffiths, yna flwyddyn yn ddiweddarach, ym mhrifwyl Abertawe a'r cylch, testun darlith Deon Tyddewi, (bellach yn Esgob Tyddewi) oedd yr Eglwys gyn-Normanaidd yng Nghymru. Yn Eisteddfod yr Wyddgrug a'r cyffiniau yn 2007, aeth yr Athro Sioned Davies ar drywydd hanes merch ddylanwadol ac arloesol o Gaerwys o'r enw Angharad Llwyd. Gyda Llywodraeth Cynulliad Cymru yn cael yr hawl i ddeddfu ar rai materion, gofynnwyd i Uwch Gwnsler Deddfwriaethol Cymru, yr Athro Thomas Glyn Watkin roi darlith ar 'Gyfraith Cymru' llynedd ym mhrifwyl Caerdydd, a chwip o ddarlith oedd hi hefyd. Erbyn i'r gyfrol hon ymddangos bydd Einion Thomas wedi traddodi ei ddarlith ddifyr ar hanes Stad y Rhiwlas, Bala (lle cynhelir Prifwyl 2009) yn ail hanner y bedwaredd ganrif ar bymtheg. Daw'r ddarlith honno â'r cylch yn grwn.

Bwriad Fforwm Hanes Cymru wrth ofyn unwaith eto i Wasg Carreg Gwalch fentro cyhoeddi'r darlithoedd blynyddol hyn yw ceisio hybu'r diddordeb ymysg y Cymry yn eu hanes cyfoethog ac i'w haddysgu am faterion hanesyddol o bwys. Ond y mae yna reswm arall hefyd, sef cyhoeddi mewn print ffrwyth llafur ein hysgolheigion mwyaf disglair cyn i'r arferiad hwnnw lwyr ddiflannu o'r tir dan ddylanwad y dechnoleg gyfrifiadurol.

Mwynhewch y darllen a diolch i'r Wasg am y gwaith argraffu celfydd a graenus fel arfer.

Tegid Roberts
Cadeirydd Fforwm Hanes Cymru
Awst 2009

Eisteddfod 2005 – Dr William P Griffith

Brodor o Fôn yw'r Dr William Griffith. Cafodd ei eni a'i fagu yng Nghaergybi a'i addysgu yn Ysgol Cybi ac Ysgol Uwchradd Caergybi. Bu'n fyfyriwr yng Ngholeg Prifysgol Abertawe lle bu'r diweddar Athro Glanmor Williams yn ddylanwad mawr arno. Enillodd yno radd dosbarth cyntaf mewn Hanes. Dychwelodd o'r De i wneud gwaith ymchwil pellach ar gyfnod y Tuduriaid ar gyfer ei ddoethuriaeth. Yn ddiweddar, cyfrannodd at brosiect ymchwil traws sefydliadol i hanes datganoli yng Nghymru. Ef yw Pennaeth yr Adran Hanes a Hanes Cymru yng Ngholeg Prifysgol Bangor.

Eisteddfod 2006 – Y Tra Pharchedig John Wyn Evans

Brodor o Benrhyn-coch, Sir Benfro yw Wyn Evans. Derbyniodd ei addysg yn yr ysgol gynradd leol ac yna yn Ysgol Ramadeg Ardwyn yn Aberystwyth. Bu'n fyfyriwr yng Ngholeg Prifysgol Caerdydd a graddiodd mewn archeoleg. Gyda'i fwriad o fynd yn offeiriad fel ei dad, aeth i Goleg Mihangel Sant yng Nghaerdydd ac ennill gradd BD. Cafodd ei ordeinio'n ddiacon yn 1971 ac yn offeiriad y flwyddyn ddilynol. Treuliodd ei guradiaeth yn ardal Tyddewi. Rhwng 1975 ac 1977 bu'n fyfyriwr ôl radd yng Ngholeg Iesu Rhydychen yn gwneud gwaith ymchwil ar 'Y Clas yn yr Eglwys Geltaidd'. Bu'n ddarlithydd yng Ngholeg y Drindod, Caerfyrddin. Mae'n aelod o'r Orsedd ac yn awdur toreithiog. Eleni, wedi cyfnod fel Deon a Phencantor Eglwys Gadeiriol Tyddewi, penodwyd ef yn Esgob Tyddewi.

Eisteddfod 2007 – Yr Athro Sioned Mair Davies

Yn enedigol o Lanbrynmair. Derbyniodd ei haddysg gynradd yn ysgol y pentref hwnnw a phentref Cletwr gerllaw, cyn symud i Ysgol Gynradd Trallwng. Oddi yno, yn dilyn ei haddysg uwchradd yn Ysgol Uwchradd Trallwng, aeth i Goleg Prifysgol Caerdydd i astudio'r Gymraeg. Gwnaeth waith ymchwil disglair ar draddodiad rhyddiaith yr Oesoedd Canol. Mae'n awdur toreithiog ac un o'i champweithiau diweddar yw ei chyfrol ar y Mabinogi.

Hi, bellach yw Athro'r Gymraeg a Phennaeth Ysgol y Gymraeg, Coleg Prifysgol Caerdydd.

Eisteddfod 2008 – Y Parchedig Athro Thomas Glyn Watkin

Brodor o Gwmparc yn y Rhondda yw Thomas Watkin. Addysgwyd ef yn ysgolion cynradd ac uwchradd y fro honno ac ar ddiwedd ei gyfnod yn yr ysgol uwchradd aeth yn fyfyriwr i Goleg Pembroke yn Rhydychen yn astudio'r Gyfraith. Yno rhwng 1970 ac 1974 roedd yn Ysgolhaig Oades a Stafford. Yn 1976 cafodd ei alw i'r bar gan y Deml Ganol. Rhwng 1975 a 2004, bu'n ddarlithydd, uwch ddarlithydd, darllenydd ac Athro yn y Gyfraith yng Ngholeg Prifysgol Caerdydd. Yn y flwyddyn 2004 penodwyd ef yn Athro sefydledig yn Ysgol y Gyfraith yng Ngholeg Prifysgol Bangor, swydd y mae'n parhau i'w dal er anrhydedd. Am nifer o flynyddoedd ef oedd yr Ymgynghorydd Cyfreithiol i Gorff Llywodraethol yr Eglwys yng Nghymru. Yn 2006, gyda Deddf Llywodraeth Cymru yn dod i rym, penderfynwyd ei wahodd i fod yn Brif Gwnsler Deddfwriaethol Llywodraeth Cynulliad Cymru. Ystyrir ei gyfrol ar hanes y Gyfraith yng Nghymru yn gampwaith yn y maes arbenigol hwnnw.

Eisteddfod 2009 – Einion Wyn Thomas

Yn wreiddiol o ardal y Bala bu am gyfnod yn gweithio mewn banc cyn mynd i Goleg Harlech ac wedyn i Brifysgol Bangor. Graddiodd yn Hanes Cymru ac wedyn dilyn cwrs ôl-radd yng Ngweinyddiaeth Archifau. Bu am wyth mlynedd yn Archifydd Môn cyn symud i fod yn Archifydd Meirionnydd. Ef ar hyn o bryd yw Archifydd a Llyfrgellydd Cymreig Prifysgol Bangor.

Landlordiaeth

'Landlordiaeth fawr ei thrais'?[1] Bonedd a gwrêng yng Nghymru'r bedwaredd ganrif ar bymtheg

Dr William P. Griffith

Yn ystod y bedwaredd ganrif ar bymtheg, tyfodd pwnc y tir i fod yn bwnc llosg yng Nghymru pan gafwyd gwrthdrawiad, neu'n amlach y perygl o wrthdrawiad, rhwng y tirfeddianwyr a'u tenantiaid. Gwelwyd hyn yn arbennig erbyn chwarter olaf y ganrif pan gafwyd cyfnod cythryblus iawn gydag ymgyrchoedd gwleidyddol, gwrthdystiadau torfol a chystadlaethau propaganda. Roedd rhethreg wleidyddol y cyfnod yn bur eithafol, megis:

Landlords Mawrion Cymru

A gawn ni weithwyr, ganu cerdd
I landlords Cymru –
Am holl drefniadau'r ddaear Werdd
Boed clod i landlords Cymru?
Beth bynnag ydyw maint y byd,
Ei werth, ei nerth, ei led a'i hyd-
Am flwyddi rai yn siglo'i gryd
Bu landlords mawrion Cymru.

Fe dyfa gwlân y ddafad wen
Ar air landlordiaid Cymru
A'r ddafad ddu a blyg ei phen
Wrth arch landlordiaid Cymru

Mae'r mwn, a'r mawn, a'r glo yng nghyd
Yn huno yn eu gwelyau'n fud
A disgwyl galwad maent i gyd
Gan landlords mawrion Cymru.

Ac mae'r dyfyniad yn nheitl y ddarlith, o gylchgrawn *Cwrs y Byd*[2] – yn adlewyrchu iaith gwrthdrawiad y cyfnod, gwrthdrawiad a bortreadwyd yn ddu a gwyn, fel ymgiprys rhwng y tirfeddianwyr, sef y bonedd a'r bendefigaeth ar un llaw a'r 'werin' bondigrybwyll, sef y ffermwyr, tenantiaid yn bennaf, eu gweithwyr ac a'u cynrychiolwyr neu ladmeryddion, megis gweinidogion a thwrneiod ac aelodau'r dosbarth canol trefol ar y llaw arall.

Digwyddiad

Cawn weld enghraifft o'r gwrthdrawiad hwn yn y cyd-destun eisteddfodol. Yn 1890, siomwyd cefnogwyr yr Eisteddfod Genedlaethol ym Mangor yn fawr pan benderfynodd Edward, Tywysog Cymru, i beidio â mynychu'r ŵyl. Roedd trefnwyr yr Eisteddfod ers blynyddoedd wedi bod yn annog arno i ymweld â'r Eisteddfod er mwyn cael sêl bendith y teulu brenhinol i ddiwylliant Cymraeg. Y rheswm am y siom hwn oedd bod y Tywysog wedi'i ddarbwyllo gan ei gyfaill George Sholto Douglas Pennant, yr Ail Arglwydd Penrhyn i beidio â dod i'r ŵyl. Yn ei farn ef, yr oedd yr ŵyl wedi ei llygru gan gamymddwyn gelynion tirddaliadaeth yng Nghymru, oedd wedi ei llusgo i'r pair gwleidyddol dwy flynedd ynghynt, yn Eisteddfod Wrecsam. Fel mater o egwyddor felly, doedd Penrhyn ddim am i'r Tywysog gael ei uniaethu ag unrhyw sefydliad oedd yn ymhél â gwleidyddiaeth, yn sicr dim ag un oedd yn rhoddi llwyfan i radicaliaid a chefnogwyr Mudiad Cymru Fydd. Bu raid disgwyl am bedair blynedd arall, hyd Eisteddfod Caernarfon, i drigolion Môn a Gwynedd weld y Tywysog yn y Brifwyl.[3]

Paham ddaru'r Ail Arglwydd Penrhyn ymateb neu adweithio yn y fath fodd? Roedd yn cadw golwg barcud ar y wasg Gymraeg a Chymreig ac wedi ei gynhyrfu'n lân gan y cant a mil o ymosodiadau ar dirfeddianwyr yng Nghymru oedd wedi codi yn y wasg dros y blynyddoedd ac wedi cyrraedd uchafbwynt erbyn 1890. Nodai yn arbennig y dadleuon a heriai'r egwyddor o feddiannu tir a hawl y perchennog i wneud fel y mynnai efo'i dir. Heb son am gynhyrfwyr fel Thomas Gee o Ddinbych a radicaliaid Cymreig eraill,[4] ei fwgan pennaf oedd neb llai na William Ewart Gladstone, cyn prif weinidog Prydain ac ar y pryd arweinydd yr Wrthblaid yn y Senedd. Penderfyniad Rhyddfrydwyr sir Ddinbych i wahodd Gladstone i areithio dwywaith adeg Eisteddfod Wrecsam – unwaith i gyfarch yr Eisteddfod ei hun a'r ail waith i draddodi ar destun gwleidyddol mewn anerchiad yn y dref ei hun – oedd wrth wraidd y mater. Yn wir, gwahoddwyd i areithio er gwaethaf taer erfyniadau'r pwyllgor gwaith lleol oedd yn ymwybodol iawn o'r perygl o uniaethu gŵyl gelfyddydol a chyfarfod gwleidyddol pleidiol.[5]

Yr oedd Gladstone wedi digio a gelyniaethu mwyafrif mawr y tirfeddianwyr yn y wlad oherwydd ei agwedd at yr Iwerddon ac yn enwedig ei bolisi o unioni'r berthynas rhwng meistr tir a thenant yno. Gyda'i fesur tir yn 1881, yr oedd wedi sicrhau nifer o hawliau i ffermwyr ar draul eu meistri – y Tair F, sef Rhenti Teg, Iawndal Teg a Hawl Teg i brynu neu werthu'r brydles i'r ddaliadaeth [Fair Rent, Fair Compensation a Free Sale]. Mwy na hyn hyd yn oed, roedd ei lywodraeth hefyd wedi deddfu i estyn nifer o hawliau [6] i denantiaid ym Mhrydain Fawr, gyda Deddf yr Helgig yn 1880 ac yn arbennig Deddf y Daliadau Amaethyddol yn 1883, ddaru sicrhau i ffermwyr iawndal am gyflawni gwelliannau ar eu ffermydd. Yr oedd Penrhyn yn gwbl wrthwynebus i ymyrraeth y wladwriaeth i hawliau eiddo unigolion. O holl dirfeddianwyr Cymru, ef, yn anad neb, oedd barotaf i wrthsefyll y fath fygythiadau ac i wynebu gelynion y tir. Efe, wedi'r cwbl, fu'n bennaf gyfrifol am sefydlu'r Gymdeithas Er Amddiffyn Eiddo yng Ngogledd Cymru yn 1886[7] tra bu well gan lawer o dirfeddianwyr eraill Cymru i gadw'n fud, megis, Duff Assheton Smith, perchennog y Faenol. Penrhyn oedd yr un i filwrio ac i geisio rhoddi dipyn o asgwrn cefn i achos cadw eiddo.

Cyd-destun

Sut oedd y ffasiwn sefyllfa wedi codi? Pam roedd gan dirfeddianwyr Cymru'r fath enw drwg yng ngolwg y cynhyrfwyr? Ym marn Penrhyn, wrth gwrs, pobl ddieithr, pobl oedd ddim yn perthyn i'r gymuned amaethyddol – pobl fusneslyd y trefi – oedd y cynhyrfu'r dyfroedd. Yn ei farn ef, roedd y berthynas rhwng meistr a thenant yn ddigon cymodlon ond ei bod yn cael ei dyrysu gan eithafwyr diegwyddor oedd a dibenion eraill ganddynt. I ryw raddau, roedd yn llygaid ei le. Defnyddiwyd pwnc y tir i gynhyrfu er mwyn cyflawni amcanion eraill, megis cael datgysylltu'r Eglwys Wladol yng Nghymru. Roedd pwnc y tir hefyd wedi cael ei ddefnyddio i ladd ar ormodedd dylanwad tirfeddianwyr ar agweddau eraill ar fywyd y wlad, megis ar wleidyddiaeth seneddol ac ar lywodraeth leol. Ond erbyn 1890, roedd crib y bonedd wedi'i dorri'n wleidyddol – o ran ethol aelodau seneddol – ac i raddau helaeth yn llywodraeth leol yng Nghymru – yn y cynghorau sir newydd. Pam felly fod y ddadl yn erbyn tirfeddiannaeth yn parhau erbyn 1890? Roedd gan y bonedd a phendefigion fel Penrhyn o hyd dylanwad mawr, yn wleidyddol yn Nhŷ'r Arglwyddi ac yn gymdeithasol – er enghraifft, fel ynadon heddwch – oherwydd eu statws a'u cyfoeth. Hefyd, roedd eu nawdd yn ymestyn yn eang drwy gymdeithas – hwy i bob pwrpas oedd prif noddwyr yr Eisteddfod, er enghraifft.

Sail eu grym oedd tir a'r ffaith greiddiol fod cymaint o dir Cymru ym meddiant lleiafrif mor fychan. Doedd y sefyllfa hon ddim yn unigryw i Gymru, wrth gwrs. Drwy wledydd Ewrop i gyd heriwyd grym ac awdurdod y bendefigaeth diriog gan fuddiannau gwerinol a threfol.[8] Yng ngweddill ynysoedd Prydain gwelwyd her debyg. Bu cwestiwn maint stadau'r bonedd a'r bendefigaeth yn ganolog i hynt wleidyddol yr Iwerddon a bu'n destun hynod o ymfflamychol yn Ucheldir yr Alban, ymhlith y crofftwyr yn yr 1870au a'r 1880au.[9] Roedd yn destun llosg hefyd yn Lloegr, yn enwedig yn y trefi mawrion lle'r oedd perchnogaeth tir y meistri yn cyfyngu ar ddatblygiadau trefol. Dim syndod felly bod pwnc perchnogaeth tir wedi bod yn corddi fel testun gwleidyddol ers degawdau.

Yn 1873, yn bennaf ar ôl anogaeth a pherswâd gwŷr fel John Bright, AS Rochdale, cynhaliwyd archwiliad llywodraethol i dirddaliad yn y deyrnas, y Llyfr Domesday Newydd, fel y gelwid. Amwys braidd oedd canlyniadau'r archwiliad hwn.[10] Dangoswyd bod miloedd o fân berchnogion tir o gwmpas y wlad, gan gynnwys rhannau o Gymru'n ogystal. Ond hefyd datgelwyd bod canran uchel o aceri'r wlad yn nwylo lleiafrif bychan o feistri sylweddol. Roedd hyn yn wir yn arbennig am yr Alban, lle cafwyd amryw o berchnogion gyda hyd at filiwn o erwau o dir – sefyllfa sy'n parhau hyd heddiw ac sy'n destun trafod mawr yn Senedd yr Alban. Cynhwysent diroedd yr Ardalydd Bute, a oedd hefyd yn berchen ar erwau helaeth yng Nghaerdydd a sir Forgannwg.

Er nad oedd y sefyllfa yng Nghymru mor eithriadol o ddifrifol ag yn yr Alban, roedd digon o dystiolaeth i ddangos bod canran sylweddol o dir Cymru yn nwylo'r perchnogion mawr a chanolig. Amcangyfrifir bod hyd at 60% o dirlun sir Gaernarfon yn nwylo stadau mawrion o dair mil o erwau neu fwy. Roedd dros draean o dir Cymru ym meddiant stadau o dair mil o erwau neu fwy mewn maint a hyd at 44% ym meddiant stadau o 1000 o erwau neu fwy mewn maint. Yn y gogledd, roedd y crynhoad tir ar ei fwyaf dyrys a dyna paham roedd pwnc y tir ar ei fwyaf tanbaid erbyn cyfnod yr ail Arglwydd Penrhyn. Roedd Penrhyn ei hun yn berchen ar 72,000 o erwau, yr ail stad fwyaf yng Nghymru, ac roedd Stad y Faenol, stad Duff Assheton Smith, yn cynnwys 36,000 o erwau.[11]

Cefndir

Felly, o ran perchnogaeth tir, roedd yna fwlch amlwg i'w ganfod rhwng lleiafrif o 'fonedd' pwerus a mwyafrif o 'werin' oedd naill ai'n fân berchnogion neu'n denantiaid neu'n llafurwyr tir – Gwrêng Cymru, megis. Gan mai dim ond tua 40-50 erw oedd maint ffermydd Cymru, ar gyfartaledd, gellir dychmygu mai byw o'r bawd i'r genau wnâi mân ffermwyr Cymru, yn enwedig pan roedd amgylchiadau amaethyddol yn wael. Yn wir, yn eironig ddigon, yn 1873, blwyddyn y Domesday Newydd, y cychwynnodd yr hyn a elwid wedyn y 'Dirwasgiad Mawr' yn amaethyddiaeth.[12]

Nid pawb oedd yn gweld drwg yn y patrwm perchnogaeth tir. Cafwyd awduron fel John Bateman yn Lloegr oedd yn croesawu sefyllfa lle ceid haen uwch freintiedig fel hyn.[13] Ei ystadegau ef yw'r rhai a ddefnyddir gan haneswyr. Yn ei dyb ef, roedd haen fel hon yn cynnig arweiniad doeth i gymdeithas, yn cadw'r gymdeithas yn sefydlog ar amser o drawsnewid cymdeithasol; ac roedd haen o berchnogion sylweddol yn cynnig nawdd a chynhaliaeth i gymunedau gwledig a threfol fel ei gilydd. Gwelwn arlliw o'r dadleuon hyn yn ysgrifau'r pennaf awdur Cymreig i amddiffyn tirfeddiannaeth Gymreig, sef Edmund Vincent o Fangor, bargyfreithiwr a newyddiadurwr, gŵr a gydweithiodd yn agos gyda'r Ail Arglwydd Penrhyn.[14]

Ond yng ngolwg beirniaid y drefn dirol dyma oedd y drwg yn y caws. Roedd gan dirfeddianwyr eu bysedd ym mhob potes. Doedd dim modd bod yn rhydd o ddylanwad y plas, ac ym marn llawer doedd y dylanwad hwnnw ddim yn un cadarnhaol. Roedd lleisiau beirniadol yn erbyn y tirfeddianwyr wedi eu clywed ers agos i ganrif erbyn i 'r Arglwydd Penrhyn ymneilltuo o Eisteddfod 1890. Dyna anterliwt Twm o'r Nant, *Tri Chryfion Byd,* er enghraifft, yn lladd ar foesau a diwylliant dinesig, Seisnig y bonedd ac ar ymddygiad y stiwardiaid a'r newidiadau yn y patrwm rhentu.

Balchder sy'n gyrru bon'ddigion segurllyd
Tua Ffrainc neu Loegr i rythu eu llygid,
I ddysgu ffasiwne a gwario yn fall
Ddau mwy mewn gwall nag ellid.

Mae ganddynt yn Llunden lawer llawendy
I droi'r gath yn 'r haul fon'ddigion Cymru
Playhouse a lotteries, ffawdus ffall,
Ac amryw ddull i ddallu.[15]

Dyna John Jones, Glan-y-gors, wedyn yn ymosod ar rym a dylanwad gwleidyddol a chymdeithasol y meistri tir:

> Mae llawer cydfreniad anafus yn perthyn i'r Senedd Gyffredin; yn gyntaf, nid oes gan neb ond perchen tir ddim hawl i roi llais i yrru aelod yno; oddieuthur mewn rhyw ychydig fannau; felly nid oes mor un o ugain ag sydd yn talu treth yn cael llais yn y llywodraeth;...[16]

A thrwy gydol cyfnod y rhyfeloedd yn erbyn Napoleon, cafwyd sawl math ar brotest oedd yn herio awdurdod y bonedd fel ynadon heddwch ac arweinwyr gwlad – protestiadau tyddynwyr Llanddeiniolen yn erbyn yr amgáu tiroedd, er enghraifft.[17] Yn wir, roedd cof gwlad am golli tiroedd comin yn goroesi ac yn dod yn rhan o'r feirniadaeth radicalaidd a godai erbyn yr 1850au ac 1860au, megis ym mhamffledi'r Dr Owen Owen Roberts, Bangor, gwrthwynebydd pennaf stad y Penrhyn.[18] Ymhlith y gweithiau mwyaf dylanwadol eraill oedd *Cilhaul* (1850), Samuel Roberts, Llanbrynmair, a geisiai grynhoi mewn moeswers y berthynas ansicr rhwng yr arolygwr stad (nid y tirfeddiannwr ei hun) a'r tenant a rhan cynffonwyr i'r stad oedd yn hel straeon am unrhyw un am fynegi barn annibynnol.

> Yr ydym yn wir, my Lord, wedi cael cam cywilyddus: a darfu i mi gwyno wrth eich steward, a dywedyd nad oedd dim modd i mi dalu am y ffarm yn ôl y rhent a'r trethoedd a'r prisiau presennol; a rhoddodd y steward i mi notice i ymadael, ac awgrymodd y byddai yn ddigon hawdd iddo osod y ffarm y diwrnod a fynnai.[19]

Ar ben hyn, gyda thwf y wasg newyddiadurol, yn enwedig papur newydd Gwilym Hiraethog, *Yr Amserau*, rhoddwyd sylw cyson i faterion yn ymwneud â chefn gwlad ac ag amaeth, megis dileu'r deddfau ŷd, yn 'Llythurau'r Rhen Ffarmwr' rhwng 1846 ac 1851.[20]

> Wel, un ddrwg ddireswm oedd yr hen ladi honno, y Corn Law. Merch i rw lord oedd hi, tydw i ddim yn cofio

be oedd i enw fo rŵan, tae fater am hynu, a mi roedd y bynddigions agos i gid yn ffond iawn o honni, a doedd ryfedd am hynu, i hunig bwrpas hi oedd cadw rhenti'r tiroedd i fynnu rhag iddun nhw orfod gostwn arnyn nhw, a bod y boneddigions yn cymud arnyn ma er mwyn ni, y ffarmwrs, roeddyn yn i sportio hi, toedd hynu ddim bud ond rhwbeth i'n dallud ni.

Drwy gydol y ganrif, roedd amgylchiadau economaidd sylfaenol yn gefndirol i'r anghydfodau yn y Gymru wledig. Ansefydlogwyd y gymdeithas gan yr ymchwydd prisiau mawr a gafwyd rhwng 1793 ac 1815 – blynyddoedd y rhyfeloedd yn erbyn Napoleon – ac wedyn gan y dirwasgiad prisiau a barhaodd o ddiwedd y rhyfeloedd hyd ganol yr 1850au. Roedd yr amgylchiadau economaidd cyffredinol hyn yn gynsail i gwynion y gymdeithas amaethyddol yn erbyn y meistri tir, yn enwedig am amharodrwydd y meistri i ostwng rhenti neu i esgusodi cyfran o'r rhent. Dim rhyfedd felly canfod cryn anniddigrwydd yn y cefn gwlad a arweiniodd at derfysgoedd Beca yn y de-orllewin ar ddechrau'r 1840au.[21] Wedyn, ar ôl cyfnod cymharol lewyrchus rhwng 1855 ac 1880, dechreuodd y Dirwasgiad Mawr effeithio'n uniongyrchol ar ffermwyr Cymru a'r farchnad gig. Y canlyniad fu cryn anesmwythder yn y cefn gwlad am y beichiau ariannol a wynebid, yn enwedig y safon rhent a hefyd y rhent ddegwm, gan esgor ar fudiadau protest a gwrthdystiadau yn erbyn y degwm o dan arweiniad Thomas Gee o Ddinbych a'i gynghreiriau tirol.[22]

Testunau llosg

Roedd y gwrthdystiadau yn symptom o'r anniddigrwydd cyffredinol oedd i'w ganfod yng nghefn gwlad Cymru erbyn hyn, a gyfrannodd at lunio cyfres o gwynion yn erbyn tirfeddianwyr ac a ddaeth yn rhan o'r agenda wleidyddol radicalaidd erbyn 1890. Adroddwyd y cwynion yn helaeth gerbron y Comisiwn Tir yng Nghymru a Sir Fynwy rhwng 1893 ac 1896.[23] Ymhlith y cwynion oedd y cyhuddiad, a wnaed yn bennaf gan Tom Ellis, AS Meirionnydd, bod cynnydd sylweddol wedi bod yn y rhenti er gwaethaf y Dirwasgiad Mawr.[24] Cyhuddwyd y stadau hefyd o wanio gafael y tenantiaid ar eu ffermydd trwy newid natur y brydles, a chyflwyno'r brydles o flwyddyn i flwyddyn – gyda'r canlyniad bod newidiadau daliadaeth yn amlhau. Beirniadwyd y meistri am ddiffyg rhoddi iawndal i ffermwyr am gyflwyno gwelliannau i'w tiroedd. Cafwyd arferion gwlad ym mhob sir a gynigiai iawndal i ffermwyr am wella'u hamaethu ond dim ond ym Morgannwg yn unig gafwyd strwythur pendant a hael.[25] Ymosodwyd ar effeithiau niweidiol y deddfau hela ar ffermio ac awydd rhai tirfeddianwyr i hybu chwaraeon maes/gwledig ar draul yr amaethu. Yn yr ardaloedd diwydiannol wedyn, gan gynnwys yr ardaloedd chwarelyddol, nodwyd bod datblygiadau trefol yn cael eu rhwystro oherwydd gwrthwynebiad perchnogion y tir i gynlluniau gwella. Yn gysylltiedig â hyn hefyd oedd agwedd tirfeddianwyr at ddatblygu'r mwynau ar eu tiroedd a'r ffordd y rheolwyd y diwydiannau hynny. Bu'r ymgiprys yn y chwareli yn cyfrannu at y dadleuon – cofier i ddau dirfeddiannwr mwyaf sir Gaernarfon, sef Penrhyn ac Assheton Smith, ddominyddu'r fasnach lechi.[26]

Yn ogystal â'r pynciau economaidd a rheolaethol hyn, cafwyd materion mwy cymdeithasol a diwylliannol, yn ymwneud â gwerthoedd y tirfeddianwyr ac â'u dylanwad ar y cymunedau o'u cwmpas. Roedd nodweddion enwadol yn flaenllaw yn hyn, sef y ffaith mai cefnogwyr yr Eglwys Wladol oedd mwyafrif y tirfeddianwyr ac felly'n bleidiol i fuddiannau eglwysig. Beirniadwyd gŵyr mawr y stadau felly am geisio amddiffyn a chyfiawnhau 'r degwm a'r rhent ddegwm – yn enwedig ar adeg terfysgoedd neu helyntion y degwm rhwng 1886 ac 1893.[27] Beirniadwyd hwy am ddangos ffafriaeth wrth osod tir ar gyfer sefydlu addoldai newydd ac ysgolion elfennol. Ar ben hyn, clywyd y cyhuddiad cyson bod stadau yn dangos ffafriaeth i denantiaid ar sail enwadaeth a theyrngarwch pleidiol. Yn wir, o safbwynt pleidgarwch yn y cyfnod hwn, y duedd oedd gweld y meistri tir mwy mwy (ar ôl 1868 ac wedyn yn 1880 ac 1886) yn troi eu cefnau ar y Blaid Ryddfrydol a chartrefu yn y Blaid Geidwadol (neu Doriaidd fel y gelwid hi ar lafar).[28] Atgoffwyd trigolion cefn gwlad am yr ymgyrchoedd a gafwyd i ryddhau pleidleiswyr o afael y bonedd Toriaidd a thrwy ysgrifau Michael D. Jones ac eraill dwynwyd i gof hynt merthyron etholiadau 1859, 1865 ac 1868 yng Nghymru pan drowyd, neu bygythiwyd troi, rhai tenantiaid o'u ffermydd am eu safbwyntiau gwleidyddol. Y 'cause celebre' yma yn y Faenol yn 1868 oedd troi allan John Owen, gweinidog yr efengyl a thenant sylweddol, oedd wedi bod yn amlwg yn ymgyrchoedd gwleidyddol y Rhyddfrydwyr.

Erbyn hynny, roedd y berthynas anhapus rhwng meistr a thenant wedi'i ddadansoddi'n ofalus gan neb llai na'r Apostol Heddwch ei hun, Henry Richard, yn ei erthyglau i'r *Morning Chronicle,* 'Letters on the Social and Political Condition of Wales'.[29] Cyfeiriodd Gladstone droeon, gan gynnwys yn ei araith ddadleuol yn Wrecsam yn 1888, at ddylanwad Henry Richard arno ef ac am gael ei oleuo ganddo ynglŷn â phwnc y tir yng Nghymru. Byrdwn neges Richard oedd bod y tirfeddianwyr wedi'u hymddieithrio rhag y gymuned wledig yng Nghymru ac oni byddent yn ailgysylltu â'r werin a chydymdeimlo â'u gwerthoedd a'u dyheadau, byddent yn cael eu disodli fel arweinwyr gwlad.[30] Henry Richard, yn wir, oedd un o'r pennaf rai i danio dychymyg gwleidyddol gwladwyr Cymru ac i ddefnyddio'r Gymraeg fel iaith wleidydda ffurfiol, yn enwedig adeg etholiad.[31] A dyna gŵyn arall a gododd yn ymwneud â'r berthynas gyda'r tirfeddianwyr, sef eu hanallu i fedru cyfathrebu yn Gymraeg gyda'u tenantiaid. Saesneg fu iaith weinyddu'r stadau hefyd, yn enwedig wrth i'r stadau mawrion benodi dynion dŵad i arolygu. Saesneg oedd iaith y gyfraith hefyd ac er i'r tirfeddianwyr gyflogi twrneiod lleol oedd yn Gymry Cymraeg,[32] fwyfwy pan gynhyrchwyd cytundebau rhentu ffurfiol, y duedd oedd eu darparu yn yr iaith fain heb bob tro sicrhau fersiynau Cymraeg i'r mwyafrif uniaith Gymraeg.

Cloriannu'r dadleuon

Cafwyd rhestr hir o gwynion, felly. Pa mor wir neu gywir oedd y cyhuddiadau hyn yn erbyn y tirfeddianwyr erbyn diwedd y ganrif? A gafwyd gormodiaith? Y mae cymaint o'n dealltwriaeth ni o bwnc y tir yng Nghymru yn deillio o

Adroddiad y Comisiwn ar y Tir yng Nghymru a Sir Fynwy rhwng 1893 ac 1896 – comisiwn, gyda llaw, oedd â mwyafrif o Ryddfrydwyr a Chymry arno. Y mae'r dystiolaeth[33] honno'n gwbl groes a chyferbyniol a hynny am fod y ddwy ochr, megis, sef y Rhyddfrydwyr a'r mudiadau ffermwyr, ar un llaw, wedi llwyddo i gyflwyno tystiolaeth feirniadol o dirfeddiannaeth, a'r Ceidwadwyr a'r cymdeithasau amddiffyn tirfeddiannaeth, ar y llaw arall, wedi llwyddo i gynnig tystiolaeth wrthweithiol. At ei gilydd, roedd cwynion y tenantiaid yn canolbwyntio ar ddigwyddiadau yn y cyfnod cyn 1870 a thueddai'r meistri tir a'u goruchwylwyr tir i bwysleisio'r hyn a gyflawnwyd ganddynt er lles y ffermwr yn y ddau ddegawd hyd 1890. At ei gilydd, hefyd, fel y cydnabu'r Comisiwn, y meistri tir a gafodd y gorau o'r dadleuon economaidd. Erbyn 1890, roeddent yn dangos mwy o gydymdeimlad tuag at y ffermwyr oherwydd yr amodau economaidd ac wedi caniatáu arbediadau sylweddol ar y rhent – hyd at 25% gan feistri tir fel yr Arglwydd Penrhyn a Duff Assheton Smith y Faenol. Buont hefyd yn fwy parod nag erioed i ganiatáu iawndal i'r ffermwyr am eu gwelliannau ac i adael iddynt ddal helgig. Pwysleisiwyd bod y tirfeddianwyr eu hunain wedi buddsoddi'n helaeth yn y ffermydd er lles yr amaethwr. Yn ogystal, llwyddwyd i ddangos bod y denantiaeth yn un bur sefydlog hefyd, beth bynnag oedd natur y brydles. Er enghraifft, dangosodd y Cadben Niel Stewart, goruchwyliwr ystâd y Faenol, bod 451 o'r 660 o deuluoedd o denantiaid a holwyd ar ei stad wedi meddiannu eu daliadau am o leiaf 50 mlynedd a bod cymaint â 250 o deuluoedd wedi meddiannu'r daliadau am dros 100 mlynedd.[34]

I bob golwg felly, roedd y radicaliaid wedi gor-ddweud wrth gyhuddo tirfeddianwyr. Ond hwyrach y dylid cadw rhai pethau mewn golwg. Yn gyntaf, yn sgîl deddf gwlad y caniateid rhai o'r bendithion yma i ffermwyr, er enghraifft iawndal a hawliau helgig. A fyddai'r tirfeddianwyr wedi bod mor barod i gydymffurfio oni bai am y deddfau a basiwyd gan lywodraeth Gladstone rhwng 1880 ac 1885?[35] Hefyd, fel mae'r Athro David Howell wedi nodi, hwyrach nad oedd yr amgylchiadau cystal ar y stadau canolig a llai o gymharu â stadau fel y Faenol. Wedi'r cwbl, roedd y meistri tir mwyaf yn derbyn incwm o sawl ffynhonnell ac nid yn unig o'r rhenti amaethyddol. Felly, gallent fforddio i fod yn hael gyda'u tenantiaid. Nid felly'r stadau llai, oedd yn llwyr ddibynnol ar incymau o'r tir. Ar ben hyn, erbyn 1890 prynasid sawl stad yng Nghymru gan gyfalafwyr o Loegr neu'r Alban oedd yn ystyried eu tiroedd fel buddsoddiad a doedd y perchnogion hyn eto ddim hanner mor hael gyda'u ffermwyr na chydymdeimladol.[36]

Ystyriaethau ideolegol

A dyma ddod at bwynt canolog, sef bod pwnc y tir yng Nghymru yn fwy na phwnc economaidd. Roedd gwrthdrawiad gwerthoedd a gwahaniaethau dosbarth yr un mor arwyddocaol. Ar y lefel Prydeinig, yn wir, fe ddadleuir gan haneswyr bod oes Victoria yn un a welodd werthoedd ac awdurdod y bonedd – aristocratiaeth a phatriarchaeth – yn cael eu herio gan werthoedd unigolyddol newydd y dosbarth canol – Unigolyddiaeth Grymus.[37]

Yn y cyd-destun Cymreig, nid damwain oedd hi fod y wasg radicalaidd yn y cyfnod hwn fwyfwy yn cyfeirio at y bonedd a'r meistri tir fel pobl estron, dieithriaid, anghymreig heb fawr o gariad at, na dealltwriaeth o'r werin Gymraeg. Roedd yn amlwg nad oedd y bonedd wedi medru cymryd o ddifrif sylwadau Henry Richard ac uniaethu efo'r Cymry; a hwyrach nad oedd hi mor hawdd gwneud hynny chwaith. O ran cefndir, roedd cymaint o'r bonedd, yn enwedig y meistri tir mwyaf, a'u teuluoedd yn estroniaid. Hynny yw, roeddent yn Saeson neu'n Albanwyr ac wedi etifeddu neu brynu neu briodi aeresau stadau yng Nghymru a heb ddealltwriaeth lawn o gymeriad Cymru. O ran eu haddysg a'u diddordebau diwylliannol, roedd y bonedd yn magu gwerthoedd gwahanol iawn i werthoedd y Gymru Ymneilltuol. Tueddent i gylchdroi mewn cylchoedd cymdeithasol cyfyng a dewisol a mewnblyg iawn, ac er bod gan amryw ohonynt ddiddordeb mewn hynafiaethau Cymreig ychydig ohonynt erbyn diwedd y ganrif oedd yn gweld rhinwedd yn niwylliant y werin. Roedd eu mympwyon hefyd yn destun beirniadaeth.[38]

Felly, o ran diddordebau, iaith ac enwadaeth, gellir gwrthgyferbynnu agweddau'r meistri tir gydag agweddau trigolion y cefn gwlad. Mae'r gwrthgyferbyniad yn mynd ymhellach ac yn ymwneud â materion ceidwadaeth neu foderniaeth, hefyd. O safbwynt amaethu, roedd y meistri tir wastad yn foderneiddwyr, yn awyddus i arbrofi gyda'r dulliau a'r syniadau diweddaraf ar sut i wneud ffermio'n effeithiol – insentif i godi rhent, wrth gwrs, fel y nodwyd yn *Cilhaul*. Am amryw resymau, roedd ffermwyr Cymru yn bur geidwadol ac amharod i fentro, yn bodloni ar hen arferion oesoedd.[39] O safbwynt y drefn gymdeithasol wedyn, roedd ffermwyr a'u cynrychiolwyr yn awyddus iawn i ymestyn yr egwyddor ddemocrataidd i gymdeithas yng Nghymru tra roedd tirfeddianwyr am gadw'r drefn hierarchaidd a chadw awdurdod yn nwylo'r rheiny oedd wedi eu geni a'u haddysgu i arwain. Yn deillio o hyn oedd yr agweddau cwbl groes i'w gilydd ar sut i weld Cymru hithau'n datblygu. Ymhlith arweinwyr Rhyddfrydiaeth gwledig fel Tom Ellis, cododd y diddordeb mewn magu hunaniaeth wleidyddol i Gymru, sef ym Mudiad Cymru Fydd, drwy gael mesurau iddi fel cenedl, gan gynnwys datgysylltiad a hunanlywodraeth, heb son am fesur tir Cymreig.[40] I'r gwrthwyneb gyda'r tirfeddianwyr, megis yr Ail Arglwydd Penrhyn. Er bod eu diddordebau hynafiaethol yn cydnabod bodolaeth hunaniaeth Gymreig yn y canol oesoedd, gwrthodent y syniad bod modd cyfiawnhau unrhyw fesur arbennig i Gymru yn y cyfnod modern, nid mesur tir nac unrhyw fesur arall. Credent yn unoliaeth y deyrnas, bod Cymru a Lloegr yn un yn gyfansoddiadol. Ar Gladstone yr oedd y bai, meddid, am drafod hunanlywodraeth a deddfwriaeth arwahân i'r Iwerddon.

Dylanwadai'r Iwerddon yn fawr ar deithi meddwl y tenantiaid a'r meistri tir fel ei gilydd.[41] Dylanwadodd mudiadau ymgyrchu mwy heddychlon yr Iwerddon ar ffurfiant ac amcanion y 'Tair T' Cymreig[42] y cynghreiriau ffermwyr yng Nghymru a chafwyd cefnogaeth Michael Davitt, un o adar drycin yr Iwerddon yn ogystal – gan greu cryn ddychryn i'r tirfeddianwyr. Ar y llaw arall, dylanwadodd yr Iwerddon ar y tirfeddianwyr nid yn unig wrth adweithio yn erbyn Davitt ond hefyd wrth ddynwared ffurfiant a thactegau cymdeithasau amddiffyn eiddo landlordiaid yr Ynys Werdd.

Er mai Iwerddon oedd y dylanwad amlwg, gwelwyd dylanwadau Albanaidd a Seisnig ar bwnc y tir Cymreig hefyd. Yn achos yr Alban, er enghraifft, talwyd sylw yn y wasg Ryddfrydol Gymreig i hynt y crofftwyr a'u hymgyrchoedd gwleidyddol i sicrhau hawliau ar draul y stadau mawrion.[43] Pan ddeddfwyd yn 1885 i sefydlu comisiwn parhaol i arolygu amgylchiadau'r crofftwyr a chael llys tir i gyfryngu rhwng meistr a thenant, gwelwyd hyn fel modd i sicrhau i denantiaid Cymreig y tegwch yr oedd Tom Ellis ac eraill yn ei ddymuno. Felly, daeth sicrhau ymchwiliad i gyflwr Cymru yn rhan o'r agenda wleidyddol ynghyd â cheisio cael llys tirol Cymreig i ymdrin â'r berthynas rhwng meistr a thenant. Ar y llaw arall, yr oedd tirfeddianwyr Cymru yn troi eu golygon at y modd yr oedd eu tebyg yn yr Alban yn ymateb, ac yn enwedig i weithgareddau Francis Douglas, yr Wythfed Iarll Wemyss a George Campbell, yr Wythfed Iarll Argyll, fel y prif ladmeryddion o blaid hawliau eiddo'r unigolyn.[44]

Beth wedyn am y dylanwadau o Loegr? Fel y nodwyd o'r blaen, roedd y gwleidydd John Bright wedi bod yn gryn eilun i ymgyrchwyr tirol yng Nghymru fel Thomas Gee a thalwyd cryn ddiddordeb yn ddiweddarach hefyd i ymgyrchoedd Joseph Chamberlain a Jesse Collings i sicrhau rhagor o fân ddaliadau ar gyfer llafurwyr amaethyddol a chrefftwyr gwlad. Ond hwyrach mai'r dylanwad mwyaf arwyddocaol, am ei fod mor radical, oedd hwnnw o eiddo'r Americanwr Henry George a'i syniadau am wladoli tir, sef syniadau sosialaidd – 'cymdeithasiaeth' yn eirfa'r cyfnod. Yn dilyn ei ymweliadau â Phrydain, sefydlwyd cymdeithas yn Llundain, Land for the People, a buan iawn magwyd cysylltiad rhyngddo a Chymru. Gwaith gweinidog gyda'r Annibynwyr, y Dr Evan Pan Jones, Mostyn, oedd hyn a thrwy gydol y 1880au a'r 1890au clywyd ei neges 'Y Ddaear I'r Bobl' drwy Gymru gyfan, mewn pamffled a chylchgrawn a thrwy ei deithiau drwy Gymru yn ei garafán enwog.[45] Amcan 'Y Ddaear i'r Bobl' oedd nid yn gymaint unioni'r berthynas rhwng meistr a thenant, fel y dymunai Tom Ellis, Thomas Gee ac eraill, ond diddymu eiddo preifat yn llwyr. Ymosodwyd ar egwyddor sylfaenol eiddo preifat, sef cyntafanedigaeth (primogeniture), megis y modd o dan gyfraith Lloegr y crynhowyd tir, a dadlau y dylai tir fod yn eiddo cymunedol. Dim syndod bod rhethreg y gwladolwyr yn erbyn tirfeddiannaeth yn fwy eithafol na hyd yn oed rhethreg gwŷr fel Gee[46] – mwy eithafol hefyd efallai gan mai dim ond lleiafrif o wladwyr Cymru oedd yn credu yn yr egwyddor gymunedol. A dyna godi agwedd wahanol ar bwnc y tir, sef y berthynas rhwng y ffermwr a'i was a'i lafurwr. Oherwydd, yn ogystal ag ymgiprys rhwng meistr a thenant, cafwyd ymgiprys rhwng ffermwyr a'r gweithwyr tir oedd ymhlith y mwyaf distadl o holl weithwyr Cymru. Pa fudd a gawsai'r gweithiwr o'r tir? Onid oedd eisiau cael cyfundrefn a fyddai'n diogelu budd i'r gweithiwr?[47]

Mewn ymateb i'r gwladolwyr a'r radicaliaid, troesai'r tirfeddianwyr yng Nghymru at fudiadau yn Lloegr oedd yn arddel hawliau eiddo preifat. Erbyn hyn mae modd gweld bod amryw o aelodau Cymdeithas Amddiffyn Eiddo Gogledd Cymru, gan gynnwys yr Ail Arglwydd Penrhyn wedi cadw cysylltiad agos â mudiad aden dde o'r enw The Liberty and Property Defence League. Ac o'r 1880au hyd at y Rhyfel Mawr bu'r gymdeithas hon yn fodd i gynghori a chynorthwyo landlordiaid yng Nghymru pan wynebent argyfwng, er enghraifft, adeg Streic Fawr y Penrhyn neu adeg ymgyrchoedd Lloyd George i ddiwygio'r tir rhwng 1912 ac 1914.

Mwy'n byd y trefnasai'r tirfeddianwyr eu hamddiffynfa, llai'n byd oedd y tebygrwydd y byddai newid mawr yn digwydd, o leiaf dim yn sydyn. Hyd yn oed yn 1894, roedd yr Arglwydd Penrhyn yn llawer iawn mwy hyderus am ddyfodol ei etifeddiaeth. Yn y flwyddyn honno dychwelodd i'r Eisteddfod Genedlaethol – yng Nghaernarfon y tro hwn – ac fe ddaeth â'r Tywysog a'i deulu gydag ef. Cawsent groeso mynwesol gan wladwyr a threfolwyr, fel ei gilydd.[48] Er gwaethaf yr holl wahaniaethau a dadleuon, roedd y gymdeithas Gymreig o hyd yn bur ufudd a theyrngar. Ac er i bwnc y tir lusgo ymlaen, ni chafwyd unrhyw arwydd o chwyldroad gwirioneddol yn nhirddaliad Cymreig yn y diwedd. I ryw raddau, bu'r tirfeddianwyr yn ffodus gyda'r amgylchiadau gwleidyddol ar y pryd. Cafwyd cyfnod o lywodraeth Geidwadol rhwng 1895 ac 1905 a sicrhâi na fyddai unrhyw fesur tir yn peryglu hawliau'r meistri am ddegawd. Ar yr un pryd, ceisiodd y Ceidwadwyr a sicrhau amodau gwell i'r ffermwyr, megis trwy haneru'r dreth leol ar ffermydd er gwella'r berthynas rhwng meistr a thenant. Pan etholwyd llywodraeth Ryddfrydol wedyn, yn 1906, canolbwyntiai'r llywodraeth honno ar faterion cymdeithasol ac addysgol. Ni chafwyd unfrydedd barn ymhlith yr ASau Cymreig ychwaith – rhoddwyd y flaenoriaeth ar ddatgysylltu'r Eglwys yn hytrach na phwnc y tir. Cafwyd rhwystredigaethau hefyd o gyfeiriad Tŷ'r Arglwyddi, gan gynnwys pendefigion fel yr Arglwydd Cawdor a'r Arglwydd Dynevor [Dinefwr] yn Nyfed neu'r Arglwydd Plymouth yng Nghaerdydd.[49] Y Tŷ hwn a wrthododd Cyllideb Lloyd George rhwng 1909 ac 1911 ac er pasio Deddf y Senedd yn 1910 rhoddwyd sylw yn gyntaf i faterion megis ymreolaeth yr Iwerddon neu ddatgysylltiad yn lle pwnc y tir.[50] O bosib y byddai ymchwiliad Lloyd George i'r tir wedi dwyn ffrwyth mewn mesur tir i Gymru o ryw fath ond am ymyrraeth y Rhyfel Mawr.[51] Gellid edrych ar Y Rhyfel fel trobwynt ond nid fel chwyldroad yn hanes y tir. Bu'r colledion ar faes y gad yn fodd i ddod a bonedd a gwrêng at ei gilydd, i ryw raddau. Cryfhawyd y ffermwyr yn gymdeithasol ac yn economaidd oherwydd gofynion y wlad adeg y rhyfel. Gwaniwyd y meistri wrth i amryw o aerau farw yn y rhyfel a gwerthwyd rhai stadau fel canlyniad i'w tenantiaid. Ond ar y cyfan, ac er gwaethaf hyn, goroesodd amryw mawr o'r stadau ond gydag amodau tecach i denantiaid na chynt, a bellach heb y rhethreg ymosodol ac eithafol a gafwyd cenhedlaeth ynghynt.[52]

Nodiadau

1 Penawd ymosodol yn y wasg Gymraeg yn yr 1890au.

2 *Cwrs y Byd*, VI (1896), 205.

3 *The Times*, 29 Medi 1890, t. 3.

4 Ieuan Wyn Jones, *Y Llinyn Arian: agweddau o fywyd a chyfnod Thomas Gee 1815-1898* (1998), t.160; T. Gwynn Jones, *Cofiant Thomas Gee* (1913), tt. 511-14.

5 *The Times*, 3 a 4 Medi 1888 a 29 Medi 1890, pan gyhuddwyd Syr George Osborne Morgan, AS Sir Ddinbych o fod yn rhan o'r cynllwyn cyhuddiad difrifol o gofio i Morgan yn rhinwedd ei swydd fel Llywydd y Dydd wedi haeru yn ei araith mai sefydliad anwleidyddol oedd yr eisteddfod (*ibid.*, 6 Medi 1888, t. 6).

[6] Roy Jenkins, *Gladstone* (gol. 1996), Pennod 28.

[7] Papurau'r Senedd 1894, C.-7439.-II, *Minutes of Evidence taken before the Royal Commission on Land in Wales and Monmouthshire,* Cyfrol 2, tt. 224-5.

[8] Gweler D. Lieven, *The Aristocracy in Europe 1815-1914* (1992).

[9] J.P.D. Dunbabin, *Rural Discontent in Nineteenth Century Britain* (1974), penodau IX a XIII.

[10] Papurau'r Senedd 1874 [C. 1097], *Return for each County in England and Wales of Name and Address of every Owner of Acre and upwards...* Cyfrol II am Gymru, yn nodi enw a chyfeiriad pob perchennog tir uwchlaw 1 erw, ynghyd â pherchnogion llai a'r cyfanswm erwaeth a'r amcangyfrif rhent grós.

[11] D.W. Howell, *Land and People in Nineteenth-century Wales* (1977), tt. 20-23.

[12] C.S. Orwin a E. Whetham, *History of British Agriculture 1846-1914* (1971).

[13] J. Bateman, *The Great Landowners of Great Britain and Ireland* (1883), gol. D. Spring (1971).

[14] *Letters From Wales: a republication, by permission, of a Series of Letters in the Times...* By a Special Correspondent (1889).

[15] Thomas Edwards (Twm o'r Nant) *Tri Chryfion Byd, sef Cariad, Tylodi ac Angau,* gol. N. Isaac (1975), t. 19.

[16] *Seren Tan Gwmmwl, neu ychydig sylw ar frenhinoedd, escobion, arglwyddi, &c. a llywodraeth Lloegr yn gyffredin* gan John Jones, Bardd (1794) (argraffiad newydd, 1923), t. 31.

[17] A.H. Dodd, *The Industrial Revolution in North Wales* (argr. 1953), Pennod III.

[18] Letter of Dr Owen Owen Roberts, Bangor, to the Council of the Financial Reform Association, Liverpool, 25 September 1849, adargraffwyd yn W.J. Parry, *The Cry of the People* (1906), tt. 187ff.

[19] Samuel Roberts, 'Ffarmwr Careful Cilhaul Uchaf', yn Iorwerth C. Peate, gol., *Cilhaul ac ysgrifau eraill Samuel Roberts, Llan-bryn-mair* (1951).

[20] Casglwyd ynghyd yn W. Rees, *Llythurau 'Rhen Ffarmwr* (1878), a tt. 46-47 am ddiddymu'r deddfau ŷd.

[21] David W. Howell, 'Beca, "amddiffynnydd y bobl" ', *Cof Cenedl,* XII (1997), tt. 69-101. Mae'n debyg bod yr amgylchiadau cymdeithasol ac economaidd adfydys yn waeth yn y de ond, hefyd, cafwyd meistri tir a goruchwylwyr yn y gogledd yn brolio bod telerau rhwng meistr a thenant yn fwy cymodlon yn y gogledd.

[22] T. Gwynn Jones, op. cit., Pennod XXIII.

[23] Papurau'r Senedd 1896, C-8221, *Report of the Royal Commission on Land in Wales and Monmouthshire.*

[24] T.I. Ellis, *Thomas Edward Ellis.Cofiant,* Cyfrol II (1948), Pennod IX.

[25] A. W. Jones, 'Glamorgan custom and tenant right', *Agricultural History Review,* 31(1983), tt. 1-14.

[26] J. Lindsay, *A History of the North Wales Slate Industry* (1974), Pennod 13.

[27] Ieuan Wyn Jones, *Y Llinyn Arian,* penodau 9 a 10.

[28] Er enghraifft, teuluoedd Williams – Bulkeley, Baron Hill, Biwmares a Paget, ardalyddion Môn, Plas Newydd, Llanedwen.

[29] Ailgyhoeddwyd hwy yn Henry Richard, *Letters and Essays on Wales* (1866; ail argr. 1884).

[30] *Ibid.,* gweler yn arbennig lythyr XIV, t. 113ff.

[31] Ieuan Gwynedd Jones, 'Henry Richard ac iaith y gwleidydd yn y bedwaredd ganrif ar bymtheg', *Cof Cenedl*, III(1988), tt. 117-49.

[32] Yr oedd rôl y cyfreithiwr yn dod yn bwysicach o lawer yn y cyfnod hwn ac nid damwain yw gweld amryw ohonynt yn ymgymryd â materion gwleidyddol hefyd, naill ai o blaid y ffermwyr neu o blaid y meistri tir. Dyma ddetholiad o rai cyfreithwyr a ddefnyddiwyd fel cyfrwng i gynrychioli'r ddwy ochr – Rhyddfrydwyr: George Osborne Morgan; Watkin Williams; Benjamin T. Williams; J. Bryn Roberts; Brynmor Jones; Samuel T. Evans; Lloyd George.Y Torïaid – J.E. Vincent; Henry Vincent; Harold Carter; Henry Barber; George M.H. Owen; Charles Alfred Jones; Thomas Prichard.

[33] Papurau'r Senedd 1894, C.7439 –I, *Royal Commission on Land in Wales and Monmouthshire, Minutes of Evidence*, Cyfrol I.

[34] Papurau'r Senedd 1894, C.7439 –I, *Royal Commission on Land in Wales and Monmouthshire, Minutes of Evidence*, Cyfrol I, t. 621.

[35] Deddf Helgig y ddaear [Ground Game Act 1880] a Deddf y Daliadau Amaethyddol [Agricultural Holdings Act 1893].

[36] Er enghraifft, Samuel Pochin,perchennog ystad Bodnant.

[37] John Tosh, 'Gentlemanly politeness and manly simplicity in Victorian England', *Transactions of the Royal Historical Society*, 6 ser., XII (2002), 455-72. 'Rugged Individualism' – credaf roedd Thomas Gee yn ymgorfforiad o hyn ac meddai roedd dod o hyd i feistr tir da yng Nghymru mor brin â dod o hyd i frân wen.

[38] Gweler yn gyffredinol, D. Cannadine, *The Rise and Fall of the British Aristocracy* (1990).

[39] Papurau'r Senedd 1882 [C.-3375-III], *Royal Commission on Depression Condition of Agricultural Interests, Report of Assistant Commissioners: Mr [Andrew] Doyle's Reports.* Sonia Doyle am ddiffygion hanesyddol amaethyddiaeth yng Nghymru o gymharu â'r High Farming yn ne a chanolbarth Lloegr a de'r Alban, hynny yw ffermio lle cafwyd buddsoddiad arian helaeth a phwyslais ar dechnoleg. Ym marn Doyle a nifer o sylwebwyr, y diffygion gyda ffermio Cymru oedd tlodi mwyafrif y ffermwyr, maint aneconomaidd llawer o'r daliadau, diffyg addysg a 'chyfyngder' iaith yr amaethwyr a'u hymlyniad wrth arferion hen ffasiwn. Beiwyd y tirfeddianwyr hefyd am oddef hyn ac am beidio a gorfodi gwelliannau.

[40] Er enghraifft, cais yr aelodau Rhyddfrydol Cymreig yn 1889 gyda'r mesur 50 Vict., Bill 25, *A Bill to Amend the Law relating to the occupation and Ownership of Land in Wales and Monmouthshire, and for other purposes relating thereto.*

[41] L.M. Cullen, 'The regions and their issues: Ireland', yn G.E. Mingay, gol., *The Victorian Countryside*, Cyfrol I (1981), Pennod 8.

[42] Yn Iwerddon, roedd y tair F yn golygu 'Fixity of Tenure, Fair Rent, *Free Sale*' ond yng Nghymru galwyd am y tair T, sef Rhenti Teg; Iawndal Teg; a *Tegwch Daliadaeth* [yn Saesneg, Fair Rent, Fair Compensation a Fixity of Tenure], hynny yw, nid cael prynu eu ffermydd gymaint a chael sicrwydd daliad trwy gael prydlesi llawn am dymhorau sicr yn lle'r rhai o flwyddyn i flwyddyn amhenodol arferol.

[43] M. Gray, 'The regions and their issues: Scotland', yn G.E. Mingay, gol., *The Victorian Countryside*, Cyfrol I (1981), Pennod 7.

[44] A. Offer, *Property and Politics 1870-1914: landownership, law, ideology and urban development in England* (1981), tt. 41,152. Arweinwyr y Liberty and Property Defence League a sefydlwyd yn 1883.

[45] Gweler Evan Pan Jones, *Oes Gofion neu Fraslun o Hanes fy Mywyd* (d.d.,?1900), tt. 178ff.

[46] Gweler Antony Taylor, *Lords of Misrule: hostility to aristocracy in late nineteenth- and early twentieth-century Britain* (2004).

[47] Dylid cofio bod y cyfnod hwn a welodd gweithwyr y tir yn cyfundrefnu am y tro cyntaf i ennill gwell telerau gan eu cyflogwyr, y ffermwyr, megis o dan arweiniad John Owen Jones (Ap Ffarmwr). Gweler, David Pretty, 'Caethion y tir: gwrthryfel y gweithiwr fferm yng Nghymru', *Cof Cenedl*, VII (1992), tt. 133-66, yn arbennig 138-44.

[48] *The Times*, 12 Gorffennaf 1894, t. 9.

[49] G.D. Phillips, *The Diehards: Aristocratic society and politics in Edwardian England* (1979), tt. 42, 69.

[50] Cyril Parry, *David Lloyd George* (1984), Pennod 5.

[51] *Welsh Land. The Report of the Welsh Land Enquiry Committee: Rural* (1914), tt. xi, 366-9. Argymhellwyd deddfu er mwyn sefydlu llys tirol i Gymru.

[52] Am rai o'r cyfnewidiadau, gweler Edgar Thomas, *An Introduction to Agricultural Economics* (1949), Pennod VII a A.W. Ashby ac I.L. Evans, *The Agriculture of Wales and Monmouthshire* (1944), Pennod VIII.

Llangyfelach fel Mam Eglwys

Y Tra Pharchedig John Wyn Evans

Os ydych chi a minnau erioed wedi tramwyo'r draffordd, yr M4, i gyrraedd Maes yr Eisteddfod, a gwneud hynny o'r gorllewin – er i chi a minnau gadw ein sylw ar yr heol fel y dylem – y mae yn anhepgor i ni weld tŵr sylweddol yn gwthio ei hun tuag at y nefoedd. Neu, ar y llaw arall, os edrychwn i fyny ac i'r de o Faes yr Eisteddfod, fe welwn dŵr arall yn llanw ein gorwelion.

Na, nid wyf yn sôn am y tŵr hwnnw sydd yn rheoli ein bywyd gyrwrol beunyddiol: yr Adran Drwyddedu Moduron a Gyrwyr. Dim byd mor faterol er mor angenrheidiol â hynny. Nid hwnnw ond rhyw nendwr arall, un hŷn a mwy sylweddol. Tŵr yw hwn wedi ei saernïo o garreg yn hytrach na choncrid a gwydr, tŵr mwy arwyddocaol ac efallai – gobeithio – yn fwy ysbrydol hefyd; ac erbyn heddiw yn llai amlwg nag yr oedd yn wreiddiol oherwydd y mae erbyn hyn yn llythrennol yng nghysgod tŵr yr Adran Drwyddedu.

Yr wyf yn sôn, wrth gwrs, am dŵr Eglwys Llangyfelach;[1] yn sefyll mewn mynwent sylweddol ond – yn anarferol iawn – yn sefyll ar ei ben ei hun. Y mae'r Eglwys, ei hun, corff a changell, islaw ac i'r gogledd o'r tŵr. Y mae hynny ynddo ei hun yn nodweddiadol, ond y mae elfennau llawer mwy diddorol, mwy dadlennol, mwy arwyddocaol a mwy hanesyddol i'w gweld mewn cyswllt â'r safle hwn.

I ddechrau gyda'r tŵr, felly. Nid yw'r tŵr yn perthyn o gwbl i'r adeilad sydd yn cael ei ddefnyddio fel eglwys heddiw.[2] Ysgubor degwm, mae'n debyg oedd ar y safle pan syrthiodd yr hen eglwys (eglwys ganoloesol) ac fe ddefnyddiwyd yr ysgubor fel eglwys ar ôl hynny. Wedyn, adeiladwyd eglwys newydd ar safle'r ysgubor. Yn ôl Samuel Lewis yn ei Eiriadur Topograffaidd[3] yr oedd yr eglwys newydd yn cynnwys corff a changell gymen (*neat*), ond yr oedd hi yn sefyll ar wahân i'r tŵr fel ag yr oedd yr hen eglwys. Mae'n dra thebyg felly fod eglwys unwaith wedi bod yn gorfforol gysylltiedig â'r tŵr. Nawr y mae 'newydd' yng nghyd-destun Samuel Lewis yn golygu mae'n debyg 1827/28 ac fe ddymchwelwyd yr hen eglwys yn 1829. Ond nid dyma'r adeilad a welir heddiw. Fe ailadeiladwyd y gangell gan y Canon David Watkin Morgan (Ficer 1889-1904 ac ar ôl hynny yn un o'm rhagflaenwyr i fel Deon Tyddewi) ac fe ailadeiladwyd y gweddill yn 1913.

Felly ar wahân i'r tŵr, nid oes dim byd nodweddiadol naill ai ynglŷn â'r eglwys nac â'r safle. Y mae, yn llythrennol, rai cannoedd o eglwysi yng Nghymru y bu rhaid iddynt eu hail adeiladu ar ddechrau'r bedwaredd ganrif ar bymtheg – gyda chymhorthdal yn aml gan y Gymdeithas Ymgorfforedig ar gyfer Adeiladu Eglwysi (ICBS). Yn 1812 rhoddodd y gymdeithas honno gymhorthdal o £40 i eglwys Llangyfelach, ac mae'n debyg dyma adwaith – eto yn eithaf cyffredin ar yr adeg honno i'r cynnydd mewn poblogaeth a ddilynodd y Chwyldro Diwydiannol – ac wrth gwrs fe godwyd eglwysi newydd fel Treforys yn y plwyf helaeth hwn – eto'n beth cyffredin ar y pryd.[4] Ond os edrychwn yn fwy manwl ar y safle ei hun a beth sydd i'w weld arno ac oddi amgylch iddo, ac edrych ar y dogfennau sydd yn berthnasol i Langyfelach – ac yn anad dim i'r enwau lleoedd sydd yn yr ardal, y mae yna stori ddiddorol iawn, stori hynafol iawn yn dod i'r golwg. Stori sydd yn sôn am fraint a statws arbennig i'r eglwys hon ar ymyl y drafford.

Y peth cyntaf i'w sylweddoli ac i sylwi arno yn y dirwedd yw maint y fynwent. Mae'n llawer mwy na'r arfer, gan gynnwys tua thair erw, mynegiant o'r ffaith efallai taw nid man claddu yn unig oedd hwn yn yr oesoedd canol cynnar ond yn lle caeëdig gyda phwrpas arall. Wedyn y tu mewn i'r eglwys, wedi eu hadeiladu i mewn i'r tŵr, a hefyd yn gorwedd yn y fynwent, y mae yna gerrig nadd o'r cyfnod cyn Normanaidd.[5]. Y mae un o'r rhain yn groes gerfiedig.

Ac y mae'r ffaith fod y rhain i'w gweld ar safle eglwys Llangyfelach, ynddi ei hun yn fynegiant fod y safle hwn yn safle o fraint a statws ac felly yn perchen ar adnoddau sylweddol mewn eiddo a chrefftwyr a threfniant i greu'r fath henebion. Dim ond eglwysi o'r statws uchaf a allai gynhyrchu'r rhain.

Hefyd, heblaw'r eglwysi newydd a godwyd yn y bedwaredd ganrif ar bymtheg -ac y mae tystiolaeth fod eglwysi eraill fel Llansamlet a Llangiwg a Llanddewi Gŵyr wedi bod yn gysylltiedig â Llangyfelach yn sicr yn yr ail ganrif ar bymtheg a'r ddeunawfed ganrif, y mae yna dystiolaeth hefyd fod gan Langyfelach gapel anwes neu eglwys o statws llai na hi yn yr Oesoedd Canol. Dyna yw y Betws ger Rhydaman, sydd heddiw yn sir Gaerfyrddin ac yn blwyf ar wahân. Ystyr Betws efallai yw 'tŷ gweddi' ac y mae nifer helaeth o enghreifftiau o'r enw lle yng Nghymru yn enwedig mewn plwyfi anferth fel Llangyfelach – os gosodwn blwyf y Betws gyda Llangyfelach, dyna blwyf o dros ddeg ar hugain o filoedd o erwau – hwnnw ynddo ei hun er nad mor fawr â phlwyf canoloesol Llanbadarn Fawr a oedd dros gant a phump ar hugain o filoedd o erwau y mae eto yn sylweddol, ac yn fynegiant o statws ac arwyddocâd rhai eglwysi yn yr oesoedd canol cynnar.[6]

Ac wrth gwrs, y mae enw un o drefgorddau plwyf Llangyfelach, a oedd yn cynnwys Parsel Mawr Uchaf ac Isaf, Rhyngdwyglydach Isaf ac Uchaf, rhannau o blwyf a fu unwaith dros saith ar hugain o filoedd o erwau mewn maint, yn ein tywys ni yn syth at un o nodweddion trefniant yr Eglwys Gristnogol yng Nghymru cyn i'r Normaniaid ddod ac at y prif eglwysi yn y trefniant hwnnw. Y drefgordd honno a'r enw hwnnw wrth gwrs yw *Clas*. Y mae'r enw yn goroesi hyd heddiw fel yng Nghlas Uchaf ac Isaf ac o dan y ffurf Seisnigaidd *Clase*.[7]

Y mae'r ffaith fod yr enw yn digwydd o gwbl – heb sôn am oroesi— yn ein rhybuddio yn syth fod braint a phwysigrwydd arbennig yn perthyn ar un adeg i eglwys Llangyfelach. Hynny yw, o dan yr wyneb gweladwy cyfoes, y mae yna eglwys bwysig iawn a sefydliad pwysig eglwysig yn llechu; sefydliad oedd, hyd y gwyddom ni yn chwarae rhan flaenllaw yn llywodraeth a threfniant yr Eglwys

Gymreig cyn dyfodiad y Normaniaid. Hynny yw, os yw'r hyn sydd i'w weld yn rhai o draethodau a llyfrau Cyfraith Hywel yn iawn.

Er enghraifft yn Llyfr Cyfnerth, Llyfr Blegywryd a Llyfr Iorwerth,[8] ceir traethawd, mewn gwahanol fersiynau gyda gwahanol bwyslais, sydd yn sôn am ddirwy a chamlwrw ac yn pwysleisio fod trosedd mewn llys neu lan yn haeddu camlwrw neu ddirwy ddeuddyblyg. Fe ânt ymlaen i fanylu lle mae llan yn y cwestiwn: *Pwy bynnag a wna cam i fam eglwys talet iddi pedair punt ar ddeg: yr hanner i'r abad os bydd yn ddwyfawl lythyrwr a'r llall rhwng yr offeiriaid a'r clas* – yr union ymadrodd sydd yn digwydd yn yr enw lle yn Llangyfelach. Sonia hefyd am wneud cam yn y fynwent saith punt yw maint y ddirwy: dirwy lai ond y mae yn cael ei rhannu yn yr yn modd â'r ddirwy am gam i'r fam eglwys. Ond beth yn union yw ystyr y gair *clas* mewn cyd-destun sydd yn ei gyplysu â mam eglwys?

Yn Llyfr Blegywryd y mae fersiwn arall o'r traethawd; yma ac y mae gwahaniaethau yn perthyn iddo sydd yn gymorth i gyflawni'r darlun ac i'n galluogi ni i ddod i ddealltwriaeth am y math o eglwys oedd Llangyfelach yn y cyfnod cyn- Normanaidd. Y mae hwn yn dechrau drwy sôn am fam eglwys sydd yn *uchellawc*: efallai mai *uchel log* yw hyn. Hynny yw y mae cynnig yma fod yna hierarchi o fam eglwysi a dim ond y fwyaf ei braint sydd yn derbyn y *ddirwy ddeuddyblyg*. Os bydd ymladd yn y fynwent pedair punt ar ddeg yw'r ddirwy; os o faes yn y noddfa saith punt a delir. Daw hanner y ddirwy i'r abad *os cyfreithiol ac eglwysig a llythyrawl ydyw a'r hanner arall i'r offeiriaid* ac – nid i'r *clas* y tro hwn ond i'r *canonwyr* a hwy yn gwasanaethu Duw yno. Daw'r ddirwy o'r ymladd a wneir gan y noddwyr sydd wedi derbyn noddfa gan yr abad a'r offeiriaid. Ac fe â ymlaen i ddweud mai felly y rhennir pob peth a ddel i'r sant o offrwm ac nid i'r allor nac i neb arall. Ac y mae cymal arall sydd yn dweud fod gwaed neu glais yn sefyll fel tystiolaeth i'r abad ac i'r offeiriad (unigol y tro hwn) am ymladd a wneler mewn noddfa.

Felly y mae yna set arall o dermau yn cael eu cyflwyno i ni yma ond nid yw *clas* yno; daw *canonwy*r yn ei le. Ac nid yw *clas* yn digwydd yn fersiwn Cyfnerth o'r traethawd ychwaith: hanner dirwy llan a gaiff yr abad os bydd cyfarwydd mewn llythyr a moes eglwys a meibion llên yr eglwys a gaiff yr hanner arall. O'r nawddwyr y daw'r ddirwy sydd eto yn saith punt os bydd ymladd yn y noddfa. Ac i'r sant yn enwedig y daw y tâl ac nid fel offrwm.

Felly os rhown y rhain i gyd at ei gilydd gallwn ddychmygu ac ail-greu sefyllfa lle y mae rhai eglwysi, prif fam eglwysi – a hierarchi o'r rheini yn eu tro fel prif fam eglwysi – a chanddynt fynwentydd a noddfâu oddi amgylch iddynt. Ac y mae rhai yn dod ar ffo at awdurdodau'r eglwysi hynny a gofyn am nawdd ac yn derbyn nawdd. Ac y mae hynny ynddo ei hun yn golygu fod angen digon o le oddi amgylch yr eglwys a'r fynwent i'r noddfa gael cynnwys y nawddwyr, oherwydd mewn man arall y mae Llyfr Iorwerth yn dweud wrthym fod y rhai a dderbyn nawdd yn dod â'u hysgribyl – eu hanifeiliaid – i mewn gyda nhw er mwyn iddynt redeg gyda da'r clas a'r abadau.

Dyma yr ydym i'w feddwl wrth gofio Rhys ap Tewdwr yn mynd ar noddfa yn Nhyddewi cyn 1081; oherwydd y mae'n fwy na thebyg fod gosgordd y nawddwyr yn dod gyda nhw – ac yn arfog ac yn dreisiol wrth reddf a chynhenid.[9] Felly y mae'r perygl yn codi o gweryla ac ymladd, ac o'r herwydd nid ydynt yn parchu'r nawdd y maent wedi ei dderbyn ac yn ennyn dirwy a dirwy arbennig.

Er mai'r abad a'r clas neu'r canonwyr / neu'r meibion llên hynny yw'r gymuned ar y safle – y rhai sydd mewn awdurdod ar y safle – sydd yn cael y ddirwy ac yn ei rhannu yn hanner a hanner, nid iddynt hwy y mae'n dod mewn gwirionedd ond i'r sant. Hynny yw, y mae Cyfraith Hywel yn gweld y sant, nawdd sant (efallai sylfaenydd y safle, y fam eglwys) yn cael ei sarhau drwy i'r nawddwyr dorri nid nawdd yr abad a'r clas ond nawdd y sant. Mae'r sant felly er ei fod wedi hen farw – ac yn debyg o fod wedi ei gladdu ar y safle – y mae mewn ffordd yn dal yn fyw drwy fodolaeth ei eglwys ac yn fwy pwysig drwy fodolaeth y gymuned sydd yn dal i gael ei galw dan ei enw ef fel er enghraifft Clas Cynidr (Y Clas ar Wy) neu Glas Garmon, (St Harmon's heddiw) yn Sir Faesyfed gyda'r ystyr pobl / mintai /dilynwyr y sant.[10]

Hynny yw, y mae'n debyg mai ystyr *clas* yn y bôn yw pobl neu garfan, gair yn deillio o'r gair Lladin *Classis.*[11] Felly, nid term technolegol eglwysig ydyw; na therm technolegol yn perthyn i'r Eglwys Gatholig fyd eang ganoloesol er mae'n dra thebyg iddo ddatblygu felly yn y canrifoedd cyn i'r Normaniaid gyrraedd Cymru. Felly fe allwn gynnig fod *clas / claswyr / canonwyr / meibion llên* yn gyfystyr â'i gilydd; ac i'w hadnabod fel y gymuned a oedd yn rheoli ac yn gweinyddu'r mam eglwysi.

Ar y llaw arall, gall yr hyn y sonnir amdano yn y gwahanol draethodau cyfreithiol gyfeirio nid at un cyfnod ond at wahanol amgylchiadau a chyfnodau yn hanes yr eglwys a'r mam eglwysi. Yr ydym wedi'r cwbl yn delio mewn canrifoedd yma a gallwn ddychmygu'r abad a'r claswyr yn rhedeg math o goleg diwinyddol neu brifysgol gyda'r meibion llên yn efrydwyr yn cael eu hyfforddi a'u haddysgu. Yn wir, os edrychwn ar Lanbadarn Fawr o dan deulu Sulien ar drothwy dyfodiad y Normaniaid, dyna'n union y gallwn ei ddychmygu: math o brifysgol o safon aruchel.[12]

Un peth sydd raid sylwi arno yn y fan hon yw'r ffaith nad mynachod yw'r gair a ddefnyddir yn y cyd-destun hwn. Er mai *monasterium* yn aml y gelwir yr eglwysi hyn, mam eglwysi yn y ffynonellau Lladin, ac er mai fel mynachod didryfol y disgrifir y sylfaenwyr – saint – yn y Bucheddau; ac er y gellir gweld y clas fel yr enw torfol am ddisgyblion cyntaf y sant ac er mai fel abad y disgrifir pen y sefydliad – hyn a barodd i J.E. Lloyd yn ei ddisgrifiad dihafal o'r eglwys cyn Normanaidd weld tarddiad y mam eglwysi fel eglwysi mynachaidd – eto nid oes sicrwydd o hyn yn enwedig lle'r oedd y ffynonellau yn y cwestiwn.[13] Mae hi'n debyg mai eglwysi oedd y rhain fel y minstrau – a'u mam eglwysi hwythau – yn Lloegr ar yr un cyfnod, hynny yw, erbyn diwedd yr unfed ganrif ar ddeg. Ac felly yr oeddent yn cael eu rhedeg fel eglwysi colegol corfforol gyda'r corff yn cael ei ddisgrifio fel canoniaid[14].

Dylem oedi ychydig yn y fan hon, oherwydd y mae hyn i gyd yn codi'r cwestiwn o ddechreuad a tharddiad a threfniant ac anian wreiddiol yr eglwys yng Nghymru. Nid oes sicrwydd yn y ffynonellau pryd oedd y dechreuad hwnnw, ond fe ellir cynnig mwy nag un senario.

Y mae rhai wedi gweld dechreuad Cristnogaeth yng Nghymru yn dechrau yn ystod y cyfnod ar ôl i'r Rhufeiniaid ymadael yn yr Oesoedd Tywyll, y cyfnod Cristnogol cynnar, amser Dewi Sant ei hun, gyda mynachlogydd mawrion fel Bangor Is-y-coed yn chwarae rhan sylfaenol genhadol yn y broses o sefydlu'r ffydd. Maent yn gweld yn y cyfnod hwn sefydlu'r mynachlogydd gan arwyr ysbrydol fel Dewi yn galw ac yn denu disgyblion (eu clas) a'r mynachlogydd hynny yr oeddent yn eu sefydlu yn datblygu fel canolfannau cenhadu dan abadau fel Dewi, Dyfrig, Teilo ac ati; a gallwch weld enghraifft o hyn yn llyfr D.R. Thomas ar Esgobaeth Llanelwy.[15] Y mae eraill yn credu fod Cristnogaeth wedi hen ymsefydlu ym Mhrydain yn ystod cyfnod y Rhufeiniaid a bod yr Eglwys yng Nghymru wedi etifeddu'r gyfundrefn a thraddodiadau esgobol ac esgobaethol – ac yn y cyd-destun hwn eglwysi esgobol oedd y mam eglwysi fel saith esgobty Dyfed er enghraifft – cyfundrefn a oedd wedi goroesi o'r cyfnod cynnar hwnnw a bod honno ar waith pan ddaeth y Normaniaid.

Y tebygrwydd yw bod yr eglwys Gymreig wedi etifeddu dwy gyfundrefn a bod y ddwy wedi hen gyd-fyw erbyn dyfodiad y Normaniaid. Y mae'n dra thebyg iddynt gyd-weu hefyd, fod y ffiniau rhyngddynt wedi torri i lawr. Yn fwy diddorol, y mae hi'n bosib fod y traddodiad didryfol mynachaidd, yr ydym yn ei gysylltu â Dewi Sant a'r genhedlaeth gynnar o arweinwyr mynachaidd, wedi goroesi a bod yna adfywiad mewn diddordeb yn y bywyd asetig yn yr unfed ganrif ar ddeg. Yr oedd y prif eglwysi – ac efallai y gallwn gynnig fod rhai o'r rhain yn eglwysi esgobol, y mam eglwysi uchaf eu braint – a oedd wedi bod yn eglwysi mynachaidd ond a oedd yn awr yn fam eglwysi mawrion gyda'u habadau, archoffeiriaid a doctoriaid / athrawon a'u llu o ysgolheigion / meibion llên; eu clasau fel yn Llangyfelach; eu crefftwyr mewn coed a metel a charreg; y rhai a oedd yn llunio ac ysgrifennu llawysgrifau cywrain a chroesau addurnedig fel yn Llangyfelach; y niferoedd a oedd wedi ffoi i'r noddfa am loches; y tlodion a'r anghenus; y pererinion a theithwyr. Ac ochr yn ochr hefyd yr oedd lle i'r traddodiad didryfol asetig y cysylltir er enghraifft Samson a Dewi Sant ag ef, naill ai yn unigol neu yn gymunedau. Efallai mai dyma oedd nodwedd buchedd Cyfelach, sylfaenydd a sant Llangyfelach, er nad oes Buchedd amdano wedi goroesi.

Yr oedd gan nifer o'r safleoedd mawrion safleoedd llai, fel ynys, er enghraifft wedi ei neilltuo ar gyfer y rhai a oedd am ddilyn y traddodiad hwn. Efallai y dylem weld Ynys Dewi yn y cyd-destun hwn; fel Ynys Lannog ac Ynys Enlli mewn cyswllt â Phenmon ac Aberdaron. Ac y mae Gerallt Gymro yn ein hatgoffa fod y math hwn o sefydliad wedi goroesi dyfodiad y Normaniaid yng Ngogledd Cymru lle parodd y ddwy drefn frodorol yr un glasaidd a'r un ddidryfol yn hwy nag yn y De a gollwyd i'r Normaniaid yn gynharach.

Ond yr hyn a darodd bobl fel Gerallt Gymro am y mam eglwysi – ac nid oedd yn gefnogol nac yn ffafriol tuag atynt o gwbl – yr hyn y sylwodd ef arno fel nodwedd heblaw'r elfen leyg a oedd yn wrthun ganddo, – oedd y modd yr oeddent yn rhannu eu heiddo rhwng y gymuned; y ffaith iddynt fod yn gydgyfranedig – y mae'n nodweddiadol fod rhai hen brif eglwysi clasaidd wedi datblygu i fod yn eglwysi cydgyfranedig yn y cyfnod Normanaidd ac ar ôl hynny fel Llangyfelach ei hun ar un adeg – a'r term yw *claswriaeth* (siâr). Y mae'r gair yn digwydd er enghraifft yn Llanynys yng Nghlwyd (dogfen diwedd XIV) sydd yn sôn am abad a chlaswyr a 24 claswriaeth portionary: cydgyfranedig.[16] Ac y mae Buchedd Cadog yn sôn am 36/26 canon yn rhannu eiddo ac arian gydag abad Llancarfan (Nantcarban) a'r doctor a'r offeiriad y tri yn rhannu hanner[17]— ac os rhowch chi'r tri at ei gilydd fe gewch abad sydd yn gyfarwydd yn llythr ac ym moes eglwys; ac os cadwch hwy ar wahân fe gewch Gerallt Gymro yn sôn am Ednowain ap Gwaithfoed, abad Llanbadarn Fawr yn 1188, a oedd yn lleygwr.[18] Y mae hyn i gyd yn digwydd yn y cyfnod cyn-Normanaidd ac ymhell ar ôl hynny; trwy ganolbarth Cymru lle y mae Meifod a'i chlas yng nghanol y ddeuddegfed ganrif – a'i sygynnab hefyd fel Llanelwy – sydd â'i noddfa – Noddfa Asa yn y drydedd ganrif ar ddeg fel Llandinam sydd ag abad a chlas a sygynnab yn y drydedd ganrif ar ddeg[19] a lle mae Cynyr yn ŵr cyfraith yn ogystal ag abad.[20] Yn wir fe ddylem weld y prif eglwysi yma y mam eglwysi yn enwedig y rhai uchaf eu braint a'u hurddas a'u dylanwad fel gwarcheidwaid diwylliant a chof cenedl. Nid oes ryfedd i'r math yma o sefydliad gasglu deunydd a thiroedd a chreiriau, yr hyn yr oedd y sant wedi eu defnyddio yn ystod ei fywyd: ei fagl, ei gloch, ei allor a'i lyfr Efengylau – nid ei esgyrn oedd yn bwysig – er mwyn hybu braint a chwlt y sant; ac felly ysgrifennu Buchedd amdano neu amdani a fyddai yn pwysleisio ei wyrthiau a'i rym yn eu byd cyfoes nhw. Nid oes ryfedd hefyd i rai o deulu Llanbadarn Fawr noddi a chynnig tiroedd i'r tai newydd Sistersaidd yn y ddeuddegfed ganrif, y tai crefydd a gymerodd drosodd y rôl a fu gan y mam eglwysi.[21]

Felly, y mae darlun yn dechrau datblygu a all ein galluogi ni i osod Llangyfelach mewn cyd-destun hanesyddol ac eglwysig. Darlun o gyfundrefn eglwysig fel ag y dangosodd J.E. Lloyd a Glanmor Williams a Huw Pryce, cyfundrefn a fu unwaith, cyn dyfodiad y Normaniaid, yn ymestyn dros Gymru gyfan o Fôn (yr oedd Caergybi yn eglwys gydgyfranedig ar ddiwedd y canol oesoedd) i Fynyw, (y mae Gerallt Gymro yn sôn am Glaswyr yn Nhyddewi pan ddaeth yr Esgob Bernard yno yn 1115) ac i Fynwy hefyd lle'r oedd unwaith ganoniaid yng Nghaerwent; cyfundrefn a oroesodd yn y Gymru frodorol mewn un ffordd neu'r llall ymhell ar ôl i'r Normaniaid oresgyn y De.

Felly Llangyfelach – sydd yn berchen ar nifer o'r nodweddion hyn, yr elfennau hyn sydd yn ein hargyhoeddi ei bod hi yn brif eglwys yn yr oesoedd canol cynnar. Ond y mae un peth i'w ddweud yn syth; un cwestiwn i'w ofyn. Os oedd Llan Gyfelach mor bwysig gyda'i chlas – lle mae Buchedd Cyfelach? Nid oes un wedi goroesi ac ni wyddom nemor ddim am Gyfelach ond ei enw. A mwy na hynny erbyn diwedd yr unfed ganrif ar ddeg pan gyfansoddodd Rhygyfarch ei Fuchedd Ladin am Ddewi Sant y mae yn cyplysu Llangyfelach yn dynn iawn â Dewi [22]. Yn ôl Rhygyfarch yr oedd Llangyfelach yn un o'r deuddeg mynachlog a sefydlwyd gan Ddewi cyn iddo ddychwelyd i Lyn Rhosyn i sefydlu ei fynachlog ef ei hun. Rhestr od iawn yw hon gan gynnwys Caerfaddon, Ynys Witrin, Llanllieini, a Repton y gwyddys i eraill eu sefydlu. Ac y mae'r rhestr yn anghyflawn. A dywed Rhygyfarch wrthym hefyd mai yn Llangyfelach y cedwid yr allor ryfeddol wyrthiol naill ai a ddaeth o'r nef neu a roddwyd gan Batriarch Caersalem i Ddewi ac a gadwyd yn Llangyfelach wedi ei gorchuddio gan grwyn rhag i neb edrych arni fel y canodd Gwynfardd Brycheiniog bron ganrif ar ôl Rhygyfarch: *Allawr deg ni eill dyn disgwyl arni.* Os byddai neb yn edrych fe'i trewid yn ddall.[23] Ac felly yn ôl yr hanes nid oedd neb wedi ei gweld ers pan ddaeth hi i Langyfelach

Nid dechrau da felly. Dim byd yn wybyddys neu yn hysbys am Gyfelach – a chyflwynwyd yr Eglwys i Ddewi Sant yn ogystal â Chyfelach. Dim Buchedd. Ac yn sicr erbyn yr unfed ganrif ar ddeg a'r ddeuddegfed ganrif i Rygyfarch ac i Wynfardd yr oedd Llangyfelach wedi ei gosod yn dynn o dan ddylanwad cwlt ac esgobaeth Dewi. I Gerallt Gymro yn ysgrifennu ar ddechrau y drydedd ganrif ar ddeg y mae Llangyfelach yn ail eglwys esgobol i esgob Tyddewi. Yr oedd hefyd yn eglwys gydgyfranedig ar ddiwedd y ddeuddegfed ganrif. Gwyddom hyn oherwydd yr oedd esgob Peter de Leia (Esgob Dewi 1181-1197) pan glywodd fod un o bersoniaid (noder y lluosog) Llangyfelach wedi marw, wedi llawenychu a diolch i Dduw oherwydd byddai hynny yn rhoi elw iddo pan fyddai yn rhoi'r siar honno o'r fywoliaeth i rywun: y sawl a fyddai yn talu mwyaf fyddai'n derbyn y fywoliaeth. Rhoddodd yr ymgeisydd llwyddiannus ddeuddeg buwch i'r Esgob.[24]

Yn gynharach yn y ganrif honno, yng ngolwg Gwynfardd Brycheiniog yr oedd Dewi yn berchen Llangyfelach lle'r *oedd morach a mawr grefydd.*[25] Yn y rhestr o eglwysi biau Dewi, y mae llawer eglwys arall yn y rhestr ond y mae Gwynfardd yn gosod Llangyfelach yn drydedd ar ôl Mynyw a Llanddewi Brefi. Yr oedd Cyfelach yn amlwg wedi mynd i lwyr ebargofiant. Ac nid oedd crair iddo wedi goroesi ychwaith – os nad ei allor gludadwy ef oedd yr allor a gedwid yn Llangyfelach ac nid allor wyrthiol Dewi a ddaeth o Gaersalem. A hoffwn wybod i bwy yr oedd y ffynnon sanctaidd, Ffynnon y Gwirioniaid, i'r gorllewin o Eglwys Llangyfelach – i bwy y cyflwynwyd honno yn wreiddiol. Ai dyma Ffynnon Cyfelach ?

Diddorol yw sylwi ar yr un pryd nad oedd Dewi ac esgobaeth Dewi yn cael pethau ei ffordd ei hun; a hynny ganrif cyn Gwynfardd; ac ar ddechrau'r ganrif yr oedd Rhygyfarch yn ysgrifennu'r Fuchedd. Y mae yna gyfeiriad yn Llyfr Llandâf fod Esgob Herewald yn hawlio iddo osod nid un ond dau offeiriad yn Llangyfelach, Aggeru a Chlidno ar ei ôl ef.[26] Rhagflas efallai o'r sgarmes ddiweddarach rhwng esgobion Normanaidd Llandâf a Thyddewi ynglŷn â'r ffiniau esgobaethol.

Ond pan ddaeth yr Esgob Bec i sefydlu Coleg Abergwili ar ddiwedd y drydedd ganrif ar ddeg yr oedd Llangyfelach yn ôl ym meddiant yr Esgob a rhoddwyd Llangyfelach i'r eglwys Golegol i waddoli sedd yr esgob fel Deon ac felly y bu hyd y Diwygiad Protestannaidd ac ar ôl hynny wedi i'r Coleg gael ei drosglwyddo i Aberhonddu.[27] Ac y mae'r ffaith i Langyfelach gael ei defnyddio fel eglwys waddoledig ynddi ei hun yn mynegi gwerth ei gwaddol hi yn ogystal â'i statws.

Ond yn anad dim, y mae'r enw lle *clas* yn goroesi yma. Ac nid oes cymaint â hynny o enghreifftiau o *clas* fel enw lle yn nhirwedd Cymru. Dyna oedd enw Maenor Esgob Tyddewi ac y mae nifer o ddogfennau ar gael er enghraifft yr un a drafodwyd gan Jeff Childs yn ei erthygl wych ar Faenor y Clase.[28] Yr oedd yn ymestyn dros 3000 o erwau ac yn cynnwys llefydd fel Clas Bach ar y ffin ogleddol ddim yn bell oddi yna; yr ydym ni yn ddiogel y tu mewn i'r faenor yma yn y Felindre sy'n cymryd ei henw o Felin Llan, melin y Faenor ar yr afon Llan y tu ôl i ni; a'r Clas Mawr yn y de. Gan gofio fod y Clasdir yn Nanhyfer yn Sir Benfro hefyd wedi ei alw yn Noddfa Brynach,[29] gan gofio fod angen rhan helaeth o dir i'r noddfa rhaid gofyn ai dyma Noddfa Cyfelach, noddfa'r fam eglwys a fyddai fel y clywsom yn gallu cynhyrchu elw sylweddol o ddirwyon oddi wrth y rhai a oedd yn ymladd arni neu yn y fynwent sydd hithau yn sylweddol ei maint. Yn wir y mae maint y fynwent, fel honno ym Meifod ym Maldwyn, yn codi'r cwestiwn a oedd adeiladau ac efallai eglwysi ychwanegol ynddi? Mae digon o le yno. Ac yn wir fe ellir gweld Noddfa Asa yn Llanelwy o tua'r un maint, tua thair mil o erwau.[30]

Felly, i gasglu hyn i gyd at ei gilydd. Oherwydd y gwahanol elfennau sydd yn bresennol yma: y dystiolaeth ddogfennol; yr enwau lleoedd a ffermydd; oherwydd maint presennol a chanoloesol y plwyf gan gynnwys y Betws; oherwydd maint y fynwent ynghyd â'r dystiolaeth archaeolegol, y mae hi'n dra thebyg mai mam eglwys ac yn dra thebyg mam eglwys Cantref Gŵyr oedd Llangyfelach ar un adeg. Efallai hefyd mai hi, ar un adeg oedd eglwys esgobaeth yr ardal hon cyn iddi gael ei thynnu i mewn i gwlt a braint Dewi Sant.

Ac y mae'n rhaid pwysleisio hefyd nad methiant oedd eglwysi fel y rhain, y mam eglwysi clasaidd er gwaethaf yr hyn yr oedd pobl fel Gerallt Gymro yn ei ddweud amdanynt a'u condemnio fel barbaraidd a heb ddefod – yr hyn a ddywedodd am glaswyr Tyddewi – ac yn sicr nid oedd clem ganddo am darddiad y gair Clas ac yr oedd yna ddigon o enghreifftiau ledled Cymru ar y pryd iddo weld clas ar waith – ond fe'i condemniodd fel cyntefig a'u llwgr-lleygwyr yn llyncu eiddo eglwysig; ond os edrychwn yn fwy manwl pwy a all ddweud fod Llanbadarn Fawr o dan arweiniad teulu Sulien, Llancarfan o dan arweiniad teulu Lifris neu Landinam o dan arweiniad Cynyr ap Cadwgan a'i offeiriaid a'i sygynnab neu Meifod neu Lanelwy neu Glynnog Fawr neu'r Clas ar Wy neu Landdewi Brefi ar drothwy dyfodiad y Normaniaid yn euog?

Yr oedd yr eglwysi hyn yn llwyddiannus ac yn llewyrchus, yn chwarae rhan flaenllaw yn y gymdeithas sifil wleidyddol yn ogystal â'r un eglwysig. Pe na fuasent felly ni fyddai'r Normaniaid wedi ymosod arnynt fel ag y gwnaethant drwy waddoli abatai cyfoethog Lloegr a Normandi â'u heiddo; na gwaddoli eglwysi Colegol fel Abergwili a Llangadog a'r fath eglwysi â Llangyfelach. Pwy a ŵyr? Wrth i ni edrych am fynegiant ffresh o eglwys, chwedl y jargon cyfoes, wrth i system blwyfol y Normaniaid ddechrau methu, beth am ail sefydlu'r mam eglwysi a'r clasau fel Llangyfelach – lle'r oedd morach a mawr grefydd?

Nodiadau

[1] SN 646990.

[2] J. Newman, *The Buildings of Glamorgan*, (Yale 2004), t. 386.

[3] S. Lewis, *A Topographical Dictionary of Wales, 4ydd Argraffiad* (Llundain 1850), t. 61b.

[4] Llawlyfr yr Eglwys yng Nghymru, (*The Official Handbook of the Church in Wales*), (Caerdydd 1936), t. 517.

[5] Gweler yn awr *A corpus of early mediaeval stones and stone sculpture in Wales*, Cyfrol I South-East Wales and the English Border, M. Redknap a J.M. Lewis, (Caerdydd 2007), tt. 347-355.

[6] *The Welsh Church from Conquest to Reformation*, G. Williams, (Caerdydd 1962), t. 15.

[7] Gweler y drafodaeth yn J.W. Evans, 'The Survival of the clas in Mediaeval Wales: Some observations on Llanbadarn Fawr', yn *The Early Church in Wales and the West*, N. Edwards ac A. Lane (gol.), (Rhydychen 1992), tt. 33-40.

[8] Am drafodaeth werthfawr a chynhwysfawr o'r hyn sydd gan Gyfraith Hywel i'w ddweud am y pwnc gweler H. Pryce *Native Welsh Law and the Church* (Rhydychen 1993), Pennod 7 *passim.*

[9] D.S. Evans, *Historia Gruffud Vab Kenan*, (Caerdydd 1977), t. 13.

[10] M. Richards, *Welsh Territorial and Administrative Units*, (Caerdydd 1969), tt. 76; 44; J.R. Davies, 'The Archbishopric of St Davids and the bishops of Clas Cynidr', yn J.W. Evans a J.M. Wooding, *St David of Wales, Cult, Church and Nation*, (Woodbridge 2007), tt. 296-304.

[11] *Geiriadur Prifysgol Cymru*, Rhan VIII, 'Ceffylaf-Clwc', t. 490.

[12] N. Chadwick, 'Intellectual Life in West Wales in the Last Days of the Celtic Church', yn N. Chadwick *et al.* (gol.), *Studies in the Early British Church*, (Hamden 1973), tt. 121-182, 127.

[13] J.E. Lloyd, *A History of Wales*, (Llundain 1912), Cyfrol I, 205.

[14] J. Blair, *The Church in Anglo Saxon Society*, (Rhydychen 2005), tt. 341-367.

[15] D.R. Thomas, *A History of the Diocese of St Asaph*, (Llundain 1874), t. 4.

[16] Lloyd, *op. cit., ibid.*

[17] A.W. Wade Evans, *Vitae Sanctorum Britanniae et Genealogiae*, Caerdydd 1944), tt. 122-124.

[18] L. Thorpe (gol.) *Gerald of Wales The Journey through Wales, the Description of Wales*, (Llundain 1978), tt. 179-181.

[19] Pryce, *op. cit.*, t. 34.

[20] J.W. Evans , 'The Early Church in Denbighshire', *Denbighshire Historical Society Transactions*, 35, (1986), tt. 61-81.

[21] J.W. Evans, 'Survival', t. 39.

[22] R. Sharpe a J.R. Davies, 'Rhygyfarch's *Life* of St David' yn Evans a Wooding *op. cit.*, tt. 107-155.

[23] M. Owen, 'Gwaith Gwynfardd Brycheiniog, Canu i Ddewi', yn Bramely *et al.* (gol.), *Gwaith Llywelyn Fardd ac eraill*, (Caerdydd 1994) tt. 435-478, 460.

[24] J.S. Brewer (gol.) *Giraldi Cambrensis Opera*, (Llundain 1861), Cyfrol I, t. 330.

[25] M. Owen, *op. cit.*, t. 457.

[26] J.G. Evans (gol.), *The Text of the Book of Llandav,* (Aberystwyth 1979), *t.* 279.
[27] T.A. Barker, *Particulars relating to Endowments etc.,* Vol I, *The Archdeaconry of Carmarthen,* (Carmarthen 1907), t. 184.
[28] J. Childs, 'The Manor of Clase', *Gower 45,* (1994), tt. 58-69.
[29] Pryce, Native Law, t. 172.
[30] Evans, Llanbadarn.

'Syw Ddynes Wiw Ddoniol'[1]

Yr Athro Sioned Mair Davies

'Syw ddynes wiw ddoniol'[2] – dyma sut y mae bardd o'r bedwaredd ganrif ar bymtheg yn disgrifio un o'i gyfoeswyr. Gallai hwn fod yn ddisgrifiad teg o sawl merch ddisglair o'r cyfnod, er enghraifft Augusta Hall, Arglwyddes Llanofer – dynes y 'pethe', a oedd yn ysbrydoli a noddi; yr Arglwyddes Charlotte Guest a gyfieithodd y *Mabinogion* i'r Saesneg yn y 1840au; yr Arglwyddes Greenly neu Llwydlas a oedd yn gerddor a chyfansoddwr; Maria Jane Williams, Aberpergwm – cantores a chasglwr alawon gwerin; neu'r 'lodes lengar' honno Mair Richards, Darowen, a wnaeth gymaint i gopïo a diogelu carolau plygain, alawon Cymreig, llythyrau o bob math, barddoniaeth gan feirdd adnabyddus o'r gorffennol a chan feirdd lleol ei chyfnod. Ond nid yr un o'r rhain yw'r ferch dan sylw. Wedi dweud hynny, nad anghofiwn am y lleill – bydd gan bob un rôl *cameo* i'w chwarae yn yr hanes.

Ganwyd 'siw ddynes' y teitl yng Nghaerwys yn 1780, yn ferch i Martha Williams a John Lloyd. Yn ôl yr afer, ychydig iawn a wyddom am y fam; ond mater arall yw'r tad. Person Caerwys oedd John Lloyd a ddeuai'n enedigol o Bodidris, Llanarmon-yn Ial. Graddiodd yng Ngholeg yr Iesu, Rhydychen, ac ymddiddorai mewn hanes a hynafiaethau. O'r herwydd daeth i adnabod llawer o ysgolheigion ei ddydd, yn eu mysg, William Owen-Pughe, Iolo Morganwg, Thomas Pennant; yn wir, bu'n teithio gyda Pennant wrth i hwnnw baratoi ei gyfrol enwog *Tours of Wales*. Roedd gan John Lloyd hefyd gysylltiadau â charfan bwysig arall yn y gymdeithas, yn bennaf yn sgîl ei swydd fel Is-Oruchwyliwr

Helfa Caerwys, sef teuluoedd bonheddig Gogledd Cymru. Fel y gwelwn yn y man, byddai'r cysylltiadau hyn – â'r ysgolheigion ac â'r boneddigion – yn llywio bywyd ei ferch, Angharad Llwyd.

Rhoddodd Martha enedigaeth i naw o blant – chwech o ferched a thri mab – ac Anne, neu Angharad, oedd y chweched. Fel yn achos teulu Mair Richards, Darowen, derbyniodd y brodyr addysg brifysgol er mwyn cael mynediad i'r eglwys – aeth Llewellyn i Rydychen, er enghraifft, gan ddychwelyd i Nanerch yn rheithior. I Gaergrawnt yr aeth Robert Watkin; fe'i penodwyd yn gurad yn Swydd Warwick lle y bu hyd ddiwedd ei oes. Ond nid felly, wrth gwrs, oedd hanes y merched. Ar ôl marwolaeth eu mam, y ferch hynaf, Elizabeth, a ofalai am y teulu; aeth Helena, ar y llaw arall, i ofalu am blant y Cadfridog Crewe, gŵr gweddw. Nid oedd sefyllfa o'r fath yn anghyffredin i ferched di-briod y cyfnod. Er bod ganddynt hawliau cyfreithiol, yn wir llawer iawn mwy o hawliau na gwragedd priod, yr oedd defnyddio'r hawliau hynny yn fater arall. Grŵp lleiafrifol pwysig oedd hwn, a llawer o'r merched, fel Mair Richards, Darowen, hefyd yn ei thro, yn bennaf gyfrifol am ofalu am y cartref.[3] Eto, y norm oedd bod yn wraig ac yn fam, yn arbennig felly yn Oes Fictoria – cyflwr 'dros dro' felly oedd bod yn ddi-briod. Methiant cymdeithasol oedd merch ddi-briod – yn aml, nid oedd y teulu am dynnu sylw at ferched o'r fath, a byddent yn byw yn y cysgodion. Os nad oedd gan y ferch unrhyw incwm o gwbl, yna hi fyddai'r fodryb, y nyrs, yr aelod defnyddiol o'r teulu heb unrhyw gyfrifoldebau personol, yr unigolyn y gellid galw arno mewn cyfyngder.[4]

Erbyn canol y 19g yr oedd mwy na miliwn o wragedd di-briod ym Mhrydain (dros 25 oed), a'r 'broblem' yn denu sylw gydag chyhoeddi erthyglau yn y wasg megis 'What shall we do with our old maids?' a 'Why are women redundant?'[5] Roedd y merched hyn yn her i awdurdod gwrywaidd, yn fygythiad i'r drefn – dyna pam yr oeddynt yn aml yn ffocws i bob math o atgasedd, malais a dirmyg. Roedd y broblem yn dwysáu, wrth gwrs, pan oedd y gwragedd hyn yn heneiddio ac yn dod yn fwrn ar y teulu, yn methu â chyfrannu at waith tŷ a gofalu am blant; bryd hynny deuent yn hollol ddibynnol ar haelioni eu brodyr. Weithiau, fodd bynnag, mae merch ddi-briod yn camu o'r cysgodion ac yn dangos ei hun yn wahanol. A dyma'n union yr hyn a wnaeth Angharad Llwyd, dyma oedd ei hymateb i'w stâd fel merch ddi-briod. Yn hytrach na chadw'i hun o fewn y ffiniau traddodiadol i ferched, llwyddodd i ymdreiddio i ofod y dynion, a hynny o fewn cyfyngiadau, wrth gwrs – ni allai ystyried mynd yn gurad nac yn offeiriad, na hyd yn oed fynd i brifysgol; ond yn sicr, gallai gyfrannu at y byd llenyddol a diwylliannol, yn union fel y gwnaeth sawl un o'i chyfoeswyr, gwragedd megis yr Arglwyddes Llanofer, yr Arglwyddes Greenly, a'r Arglwyddes Charlotte Guest, er rhaid cofio bod amodau'r rhain, wrth gwrs, yn hollol wahanol – yr oedd gan y merched hyn statws a chyfoeth.

Ni wyddom ryw lawer am amgylchiadau ariannol Angharad Llwyd. Mae'n debyg mai ei brawd, Robert Watkin, oedd berchen Tŷ'n Rhyl, ei chartref olaf. Yn sicr, arhosodd yn sengl drwy gydol ei hoes. Ond rhywsut, llwyddodd i ddiosg mantell y warchodwraig, a thorri llwybr annibynnol iddi hi ei hun, gan ddilyn yn ôl troed ei thad. Mae'n debyg iddo ef roddi peth addysg iddi – tra'n ymweld â Llanofer yn 1837, er enghraifft, dywedodd Angharad wrth Augusta Hall bod ei thad wedi rhoi gwersi Lladin a Chymraeg iddi, ac mai Cronicl Hollingshead, Mordeithiau Syr Walter Raleigh a *Faery Queen* Spenser oedd llyfrau ei phlentyndod.[6] Mae'n siwr iddi fanteisio ar y cyfle i ddarllen llawysgrifau ei thad ac i elwa ar ei brofiad fel achyddwr a hynafiaethwr. Yn anffodus, bu ef farw a hithau ond yn dair ar ddeg; eto, mae'n siwr iddo gael cryn ddylanwad arni. Hi a etifeddodd holl lawysgrifau ei thad, ond ychwanegodd yn sylweddol atynt fel y tystiolaetha'r casgliad enfawr o lawysgrifau sydd yn ei llaw neu a gasglwyd ganddi – maent bellach ar gadw yn y Llyfrgell Genedlaethol, ac ambell un yn Llyfrgell y Ddinas, Caerdydd.

Ar yr olwg gyntaf, felly, gellid dadlau bod Angharad Llwyd yn ofni defnyddio ei llais ei hun – cuddiai tu ôl geiriau a syniadau eraill, dynion gan fwyaf, gan eu dynwared yn llythrennol ar y ddalen. Yn hyn o beth, gellid ei chymharu â merched fel Charlotte Guest yn y byd cyfieithu oherwydd yr oedd cyfieithu, a chopïo, yn rhoi'r cyfle i ferched ymhel â'r diwylliant llenyddol heb iddynt herio'r rheolaeth wrywaidd dros y diwylliant hwnnw. Mae Angharad Llwyd yn copïo gydag arddeliad, ac yn hollol broffesiynol. Yn hyn o beth, diddorol yw ei chymharu â Mair Richards, Darowen. Gan fod papur yn ddrud, defnyddiai hi hen lyfrau cyfrifon ei brodyr, er enghraifft yn llawysgrif Cwrtmawr 284, gorchuddir symiau mathemategol Thomas a Richard Richards gan ysgrifen Mair. Yn wir, mae bron iawn pob llawysgrif o'i heiddo wedi dechrau bywyd fel llyfr i un o'i brodyr neu ei thad – 'hand-me-downs' y byd papur oeddynt. Mae diwyg llawysgrifau Mair Richards yn ddiddorol hefyd – yn amlach na pheidio, mae'r fformat yn flêr heb unrhyw gynllun o gwbl, a cheir sylwadau personol ar waelod y ddalen (cyfeiriad at y tywydd neu at y Blygain). Mae rhai o'i llawysgrifau yn cynnwys darnau o bapur (printiedig, weithiau) wedi eu gludo ar y cloriau mewnol; yn wir, mae Cwrtmawr 269 yn ymdebygu i lyfr scrap.[7]

Ond nid felly Angharad Llwyd. Mae popeth yn drefnus a chanddi hyd yn oed fynegai i'r llawysgrifau yr oedd yn berchen arnynt, a hynny mewn 'Index Books' go iawn.[8] Ceir tudalen ar ôl tudalen o achau, wedi eu nodi'n ddestlus a chlir, ac un llawysgrif rhyfeddol (NLW 1552C) yn cynnwys pum cant o ddarluniau lliw o arfbeisiau, a hynny mewn lliwiau llachar. Y rheswm paham iddi lwyddo i gopïo cymaint oedd oherwydd cysylltiadau ei thad â'r teuluoedd bonheddig, perchnogion y llawysgrifau gwreiddiol. Teithiai o gwmpas y plasdai yn ei cherbyd, a'i hebol ffyddlon, Dirion, yn ei thynnu. Diogelu at y dyfodol oedd ei phrif amcan – chwilota am lawysgrifau a oedd wedi mynd ar goll, a dod o hyd i drysorau. Ond cai gyfle i fwynhau cwmni'r teuluoedd bonheddig hefyd. Yn Llangedwyn, yn ôl llythyr at Ifor Ceri:

> I am occupied *all day* in transcribing the most valuable vol. of Pedigrees in existence, and at night playing whist with Mrs. Wms. Wynn, Lady Wms. Wynn and Mrs. Biddulph, who are now looking at me rather wishfully so I cannot say much more ...[9]

Yr oedd casglu a chopïo llawysgrifau, ynghyd â'u cyfieithu, yn weithgaredd gyffredin yn y cyfnod hwn, trwy Brydain gyfan – dyma'r cyfnod pryd y rhoddwyd bri ar ail-ddarganfod y gorffennol. Yn sgîl Adfywiad Rhamantaidd y ddeunawfed ganrif, ac ail-ddarganfod llenyddiaeth ganoloesol, yr oedd pobl yn ysu am ddarllen eu hen chwedlau. Yn 1817, yr oedd Robert Southey wedi cyhoeddi ei lawysgrif o *Morte Darthur* Malory mewn dwy gyfrol foethus. Erbyn canol y 19g, yr oedd y Brenin Arthur wedi dychwelyd o Afallon, fel petai, a'i fywyd yn cael ei greu o'r newydd, trwy lygaid Fictoraidd. Dechreuodd awduron, ac artistiaid hefyd, fynegi delfrydau a gwerthoedd Fictoraidd trwy gyfrwng cymeriadau a digwyddiadau chwedlonol, a daeth y gorffennol sifalrïaidd yn fodd i addysgu'r presennol, fel y gwelir yng ngwaith Walter Scott a Tennyson. Ystyrid y rhamantau canoloesol yn batrwm o ymddygiad, a hyrwyddwyd sifalri, anrhydedd, a dewrder fel y delfryd i fechgyn ifainc.[10] Yng Nghymru ac Iwerddon yr oedd rheswm arall hefyd dros y bwrlwm hynafiaethol hwn: atgyfodwyd hen destunau o lawysgrifau (ac fe'u cyfieithwyd yn aml), ac ymddangosodd cymdeithasau i hyrwyddo ysgolheictod yn yr iaith frodorol er mwyn dangos i'r gwladychwyr fod y rhai a ormeswyd yn wareiddiedig ac yn berchen ar draddodiad llenyddol urddasol – rhan ydoedd o ddarlun gwleidyddol a diwylliannol ehangach a oedd ynghlwm â syniadau'n ymwneud â phwer a hunaniaeth.[11] Nod Charlotte Guest wrth gyfieithu, er enghraifft, oedd dangos i'r byd Saesneg ei iaith oruchafiaeth yr 'hen' lenyddiaeth Geltaidd, y 'venerable relics of ancient lore', ys dywed yn ei chyflwyniad. Mae'n dadlau yn ei dyddiadur:

> Why should we disregard our own traditions ... because they have not been handed down in Greek or Latin? For my own part, I love the old Legends and Romances as they teach us so naturally the manners and opinions of those who were, in fact, much more nearly connected with *us* of the present day than were any of the heroes of Rome.[12]

Hynny yw, mae gwerth gynhenid i lenyddiaeth Gymraeg.

Dyma, felly, oedd cyd-destun ehangach gweithgaredd Angharad Llwyd. Ond nid atgynhyrchu a chopïo llawysgrifau yn unig a wnai. Byddai'n cystadlu mewn eisteddfodau ar hyd a lled y wlad ac yn cyhoeddi sawl un o'i thraethodau buddugol, ynghyd ag argraffiad newydd o *History of the Gwydir Family* (Syr John Wynn) yn 1827. Gweithiai'n ddi-baid hefyd i sicrhau tanysgrifwyr er mwyn cyhoeddi llyfrau Cymraeg megis *Cyfrinach Beirdd Ynys Prydain,* Iolo Morganwg. Nid oes dim dwywaith felly: yn ystod ei bywyd hir, *mae* Angharad Llwyd yn camu o'r cysgodion ac yn darganfod ei llais ei hun. Amlygir hyn i raddau helaeth trwy dair agwedd ar ei chymeriad, sef Angharad Llwyd yr eisteddfotwraig, y Gymraes, a'r ferch. Trwy ddilyn y trywydd hwn, ceir nid yn unig ddarlun o gymeriad cryf a ffraeth – cymeriad hollol unigryw – ond hefyd cawn flas ar naws y cyfnod, a sawl *cameo* o Gymru'r 19g.

Angharad yr eisteddfotwraig

Roedd Angharad yn eisteddfotwraig o fri. Fel y nodwyd eisoes, ymwnai â'r 'hen bersoniaid llengar', yr hynafiaethwyr a'r cenedlgarwyr hynny a fu'n gynheiliaid y diwylliant Cymraeg, ddiwedd y 18g a hanner cyntaf y 19g – dynion megis Gwallter Mechain, John Jenkins, rheithor Ceri (Ifor Ceri), Thomas Price (Carnhuanawc), W. J. Rees, Casgob, a theulu Thomas Richards Darowen.[13] Parch at yr iaith Gymraeg a oedd yn gyrru'r rhain. Mae eu hymlyniad wrth yr iaith i'w weld yn y ffordd yr aent ati i ddiogelu traddodiadau llenyddol a diwyllianol y genedl drwy gasglu a chopïo llawysgrifau a llyfrau printiedig; byddent yn cyfansoddi barddoniaeth ac yn hyrwyddo llenyddiaeth; a rhan bwysig o'u hagenda, wrth gwrs, oedd trefnu eisteddfodau lleol a oedd yn fodd i osod cystadlaethau ar destunau hanesyddol, ieithyddol a llenyddol. Yr eisteddfod daleithiol gyntaf y gwyddom i Angharad ei mynychu oedd Eisteddfod Powys yn Neuadd y Dref, Wrecsam, ym mis Medi 1820. Arferai gefnogi'r eisteddfodau lleol cyn hyn, wrth gwrs, – 'y 'little go's' fel y galwai hwy.[14] Ond yn Eisteddfod Wrecsam yr oedd i gael ei derbyn i Orsedd y Beirdd; fodd bynnag, daeth glaw a bu rhaid gohirio'r achlysur. Anfonodd Gwallter Mechain englyn ati i godi ei chalon:

Angharad a gafodd gynghorion – ei thad
Iaith ddidwyll a ffyddlon,
I garu gwlad, ddifad fron,
A'i hiaith hyf i eithafion.[15]

Fe'i derbyniwyd yn aelod y flwyddyn ganlynol, yn ei habsenoldeb, pan gynhaliwyd Gorsedd yng nghartref Ifor Ceri. Y tro hwn, Tegid (John Jones) a ysgrifennodd ati, o Rydychen, yn nodi ei fod wedi derbyn adroddiad manwl o'r digwyddiad gan Thomas Richards Berriew (brawd Mair Richards):

O Berriew cefais lythyr llon
Ac ynddo burion hanes
Fy mod i'n dderwydd ac yn fardd
A chwithau'n hardd ofyddes.[16]

Cafodd Angharad Llwyd gryn lwyddiant wrth gystadlu yn yr eisteddfodau. Yn Eisteddfod Powys 1824, a gynhaliwyd yn Y Trallwm, cynigiwyd gwobr am gatalog o lawysgrifau'n ymwneud â Chymru a oedd ar gael yn llyfrgelloedd Powys (sef yr hen siroedd Trefladwyn, Dinbych a Fflint). Aeth y wobr gyntaf i Aneurin Owen, mab y Dr William Owen-Pughe. Ond dyfarnwyd yr ail wobr i Angharad Llwyd a chyhoeddwyd ei gwaith, ar ôl cryn drafferth, yn Nhrafodion Cymdeithas y Cymmrodorion yn 1828.[17] Yn yr un flwyddyn, yn Eisteddfod Talaith Powys yn Ninbych, enillodd gyda thraethawd ar gestyll y Fflint (NLW 1577). Ni chyhoeddwyd y traethawd hwn, ysywaeth, nac ychwaith draethawd arall o'i heiddo ar gestyll Trefaldwyn a Dinbych (NLW 1593), sef rhan o ymdriniaeth ar gestyll gogledd Cymru a fwriadwyd ar gyfer cystadleuaeth Cymdeithas y Cymmrodorion yn 1829.[18] Fodd bynnag, cyhoeddwyd ei thraethawd a ddaeth yn fuddugol yn Eisteddfod Biwmares, 1832, y flwyddyn ganlynol.[19] Ymdriniaeth weddol radical a geisiai gywiro dadansoddiad yr awduron Saesneg o hanes Cymru yw *History of the Island of Mona*. Ni rennir y gyfrol yn benodau; yn hytrach, datblygir themâu megis 'Description of the Island'; 'Minerals and fossils'; 'Harbours'; 'Druids'; a thrafodir hanes lleoedd penodol megis Beaumaris, Baron Hill, Llanfaes,

Aberffraw a Bodedeyrn. Fel y canodd Richard Parry iddi, wrth ofyn am gopi o'r gwaith:

Hen oesau a'u hanesion, archwiliwyd
Er chwalu'r dirgelion
Treiddiwyd i fyd Derwyddon
Yn hanes maith Ynys Môn.

Bronwen[20] o arab rinwedd a roi dro
Ar hyd yr hen annedd
I'r goleu dyg o'r gwaeledd
Achau Môn a Llanerch'medd ... [21]

Un peth a wnaeth argraff ddofn arni oedd y darganfyddiad archaeolegol yn 1813, o dan garnedd ar lannau Afon Alaw – wrn yn cynnwys 'gweddillion Branwen'. Dywed yn ei chyfrol (tt. 45-6):

> The carnedd is still called Ynys Bronwen. A few of the ashes and half calcined bones are religiously kept in the urn [It is now in the possession of one of the most ingenious of the bards of Mona, who resides in Chester] ... The discovery of this urn was a most fortunate event, as it serves to give authenticity to our ancient British documents, the Mabinogion ... [22]

Yn wir, Bronwen oedd ei ffug-enw yn y gystadleuaeth. Cafodd y 'darganfyddiad' hwn effaith ar ferch arall yn y cyfnod, sef yr Arglwyddes Charlotte Guest, cyfieithydd y *Mabinogion.*[23] Mae hithau'n tynnu sylw yn benodol at yr wrn yn ei nodiadau wrth drafod yr ail gainc, gan ddyfynnu hefyd o adroddiad yr archaeolegydd Syr Richard C. Hoare yn y *Cambro-Briton* (1821). Gwnaeth hyn gymaint o argraff ar Charlotte Guest nes peri iddi roi'r teitl 'Branwen Ferch Llŷr' i'r ail gainc – cyn hynny, yr *incipit* 'Bendigeidfran Fab Llŷr' a arferid yn deitl gan William Owen-Pughe a'i gyfeillion. Iddynt hwy, y cymeriad gwrywaidd, sef y brenin, a oedd yn ganolog i'r gainc. I Guest, fodd bynnag, yr oedd popeth yn troi o gwmpas y ferch. Gellid gofyn tybed a oedd Guest yn cydymdeimlo â Branwen mewn rhyw fodd – yr oedd y ddwy ohonynt wedi gadael eu gwlad enedigol am wlad estron er mwyn priodi. Yn sicr, yr oedd newid y teitl o 'Bendigeidfran' i 'Branwen' yn ymdrech ymwybodol ar ei rhan – gellid dadlau mai dyma'r darlleniad ffeministaidd cyntaf o'r chwedl, ac mai Charlotte Guest sy'n gyfrifol am ddod â llais y ferch i'r ail gainc.[24]

Ond nid dyna ddiwedd y stori. Mewn ffordd anuniongyrchol, Angharad Llwyd a fu'n gyfrifol am sicrhau bod Charlotte Guest yn mynd ati i gyfieithu'r *Mabinogion*. Yr oedd William Owen-Pughe wedi cyhoeddi cyfieithiad o 'Pwyll' yn *The Cambrian Register* (1796, 1799 and 1818) ac yn *The Cambro-Briton* (1821), a chyhoeddodd gyfieithiad o 'Math' yn *The Cambrian Quarterly Magazine* yn 1829. Ei fwriad oedd cyhoeddi'r un chwedl ar ddeg a adwaenir heddiw fel y *Mabinogion* – yn wir, ef oedd y cyntaf i ddefnyddio'r teitl torfol hwn. Gorffenwyd y gwaith ar ffurf llawysgrif, dair awr cyn diwedd y ganrif.[25] Bu Angharad Llwyd wrthi'n ddygn yn ceisio codi arian i gyhoeddi cyfieithiad Pughe. Yn anffodus, bu'n aflwyddiannus, a thair blynedd wedi marw Pughe yn 1835, cyhoeddodd Guest y cyntaf o saith rhan a fyddai'n cynnwys ei *Mabinogion* hi. Yna, yn 1849 fe'u cyhoeddwyd mewn tair cyfrol foethus. Pe bai Angharad Llwyd wedi llwyddo i godi'r arian, yna byddai hanes cyfieithu'r *Mabinogion* wedi bod yn hollol wahanol, ac mae'n eithaf sicr na fyddai Charlotte Guest wedi ymgymryd â'r gwaith o gwbl.

Ond nid dyna ddiwedd y stori ychwaith! Mewn llythyr a ysgrifennodd Angharad at William Owen-Pughe yn 1825, hynny yw cyn Eisteddfod Biwmares, cawn fwy o hanes yr wrn:

> I was not at home when her resurrection happened – in a few weeks afterwards the Rev Mr T E Owen … called at my lodgings at Beaumaris – a friend of long date – and Bronwen and the disturbing of her was told by him – When I first heard of it said he I went to Glan Alaw and was surprised when told that the urn was in the garden, Mrs Thomas the tenant's wife having declared that she should not sleep in the house – if she was not taken out on this ejectment. Mr Owen set out for Trefeilir, the abode of Mr Hugh Evans his relative and the proprietor of Glan

> Alaw – who not having anything of the antique in his composition immediately resigned to him the old Dame in perpetuity … sometime afterwards Mr O finding his health declining removed to Beaumaris with his family – where on my calling some time after his death on Mrs Owen, she asked me to accept of the urn and its contents for said she 'its being in this house is a profound secret for if it was known I could not prevail on a servant to stay with me on any terms' – I did accept receipt of it and here it is waiting your consignement of it … It is impossible to tell how highly Sir Rich Hoare enjoys the exhumation of Bronwen in its furnishing a date as to the mode and time of urn burial … It has also done much in confirming and attaching credibility to our too much neglected manuscripts.[26]

Mewn llythyr arall at William Owen-Pughe, mae Angharad yn ei atgoffa ei bod yn parhau i edrych am gartref i 'Mrs Bronwen of Glan Alaw's urn'.[27] Ychydig a wyddwn, wrth dderbyn y gwahoddiad i ddarlithio i Gymdeithas Hanes Sir Fflint, y byddwn yng nghwmni rhywun a oedd wedi bod yn berchen ar weddillion un o gymeriadau'r *Mabinogion*!

Angharad y Gymraes

Fel y nodwyd eisoes, roedd cysylltiad anhepgor yn y 19g rhwng eisteddfota a hybu'r iaith Gymraeg. Codai Angharad arian o blith y boneddigion i noddi'r eisteddfodau – roedd am iddynt ddod i werthfawrogi'r iaith Gymraeg wrth weld y werin bobl yn llenydda. Yn wir, wrth grybwyll eisteddfod a fu yn yr Wyddgrug, dywed:

> (it) has been the means of including three of our greatest landed proprietors to learn *iaith eu hynafiaid* and I am now desired by the Dean of St. Asaph to find out a person adequate to give his grandson an hour's tuition in Welsh while at Westminster School.[28]

Nid dyma oedd ei hunig lwyddiant – mae Tegid yn gorfoleddu bod Angharad wedi llwyddo i ddarbwyllo Mrs

Shipley (merch Watkin Wynne) y dylai ei mab ddysgu'r Gymraeg:

> ... I am proud and rejoice to hear that Mrs Shipley counterances the Welsh language. She acts the part of a mother well by so doing.The acquisition of a new language can do the boy no harm, but to the contrary, he will be at home wherever he goes and be able if necessary to relieve the distrussed and attend to the complaints and wants of the poor without the inconvenience of an interpreter. He will bless his mother when wandering from cottage to cottage. And should he be of a philosophic mind and a lover of languages he will be amply repaid his trouble when he begins to examine the construction and perceive the native force of the Welsh language. How I should like to hear the young Sir Watkin speak but two words in Welsh.[29]

Yr oedd ei theyrngarwch i'r iaith, a'i hawydd angerddol i'r iaith Gymraeg ffynnu, yn sail i'r cyfan a wnaed ganddi. Yn wir, roedd yn barod iawn i brotestio os nad oedd yr iaith yn cael ei pharchu. Ym mis Mehefin 1821, cafodd ei hethol yn aelod anrhydeddus o Gymdeithas Cymmrodorion, Llundain, ynghyd â phum merch arall: y bardd Saesneg Felicia Hemans, Fanny Luxmore (merch Esgob Llanelwy), Hester Cotton (a feistrolodd yr iaith Gymraeg a chyfieithu *Drych y Prif Oesoedd* i'r Saesneg), Elizabeth Jones neu Eos y Bele (sef gwraig Ifor Ceri), a Mair Richards, Darowen. Cynigiwyd yr anrhydedd i Angharad Llwyd yn yr iaith Saesneg; o'r herwydd, atebodd Ysgrifennydd y Gymdeithas heb flewyn ar ei thafod:

> ... Buasai clywed am hyn yn llawer mwy derbyniol gennyf yn iaith fy mam nac mewn tafodiaith estronawl ... y mae yn ddrwg gennyf feddwl bod ysgrifennydd Cymdeithas a sefydlwyd er cynnal a choleddu Cymraeg ... yn dewis gwneuthur ei phenderfyniadau yn hysbys i Gymru yn nhafodiaith benodi y Saeson ... Y mae eich paisarfau yn dywedyd eich bod yn hanu o Ednowen

> Bendew ... etto y mae eich iaith yn ddigon i beri i Ednowen eich gwadu ... [30]

Eto, yn eironig ddigon, fel nifer o'i chyfeillion, ysgrifennai fel arfer yn y Saesneg, neu yn gymysgedd o'r Gymraeg a'r Saesneg. Mae'n amlwg ei bod yn llawer hapusach i *siarad* y Gymraeg na'i ysgrifennu. Ar ôl Eisteddfod a gynhaliwyd yn Rhuthun (1823) gan y Gymdeithas Gymreigyddol, ysgrifennodd at Gwallter Mechain, yn y Saesneg, yn disgrifio sut y cafodd yr anrhydedd o arwisgo rhai o'r beirdd buddugol. Fe'i hysbrydolwyd i ddweud rhywbeth wrth bob un ohonynt; wrth y pedwerydd, dywedodd:

> ... ag os gwir y dywedasoch fod y cwmwl gwedi mynd heibio a'r gwawr yn tannu ar Gymru, gobeithio oes y byd i'r iaith Gymraeg y cawn cyn bo hir glywed y Barnwr heddwch i'r orseddfainc yma (I was in the Judges' place) a'r gwyr y gyfraeth ar orseddfainc acw yn llefaru yn iaith ein hynafiaid.' This was received very well ... You see what a wretched Cymraes I am – speaking it sounded much better – as it came off hand and natural and without any hesitation ... [31]

Dyma alw am Gymraeg yn y llysoedd, ymhell cyn amser Saunders Lewis a Chymdeithas yr Iaith Gymraeg. Yn wir, bu Angharad a Mair Richards, Darowen, yn gweithio'n ddygn o blaid yr iaith. Gwnaethpwyd safiad gan y ddwy yn achos eglwys Llanbeblig, er enghraifft, pan yn 1817 penododd Esgob Caer ficer o Sais ar yr eglwys, yn erbyn ewyllys yr aelodau. Ni lwyddwyd i ddarbwyllo'r Esgob, ond o leiaf gwnaeth y ficer newydd druan ymdrech i ddysgu'r Gymraeg. Rhoddodd Mair ac Angharad wedyn ddau gwpan arian i'r eglwys er cof am eu safiad; ys dywed Angharad:

> They were given ... for upholding the *Iaith Gymraeg* at Llanbeblig Church 1820 and refusing to induct Mr. Trefor till he could read the Scriptures in the vulgar tongue.[32]

Yn ystod ei chyfnod ym Meifod (1856-60), mae Mair Richards yn gresynu: 'mae yn waradwydd ir cenedl bod cymaint o Saesneg yn yr Eglwys', a chyfeiria at wasanaeth a gynhelid yn y Saesneg er mwyn tair Saesnes, er bod trigain o Gymry yn bresennol.[33] Cwyna ymhellach, a hithau wedi symud i Ddyffryn Banw: 'Y mae haint y Saeson wedi ei tywyllu ai twyllo, sef yw hynny capeli y Saeson, drwy ein gwlad'; a dywed y drefn go iawn, Sulgwyn, 1862: 'er mawr o ddianrhydedd in Hiaith in Cenedl a'n gwlad rhoddwyd y Litani a'r bregeth yn Saesneg er mwyn hanner dwsin o Saeson'.[34] Yr oedd y ddwy wraig yn dyst i gyfnod o ddirywio ieithyddol ac i newidiadau pellgyrhaeddol. Ond ymladd eu tir a wnaeth y ddwy. Pa ryfedd felly fod y beirdd yn clodfori Angharad yn gyson (a Mair yn ei thro) am amddiffyn y Gymraeg:

Syw Ddynes wiw ddoniol – yw Angharad
Y'Nghaerwys gynhwynol;
Lles i'r Ofyddes fuddiol
I gadw'i hiaith, byw'n faith fo.
Angharad i fad ddefodau – hoenus
Yr hen Eisteddfodau
A'i swydd fwynglir sydd Funglau
A tharian i'r iaith orau.[35]

Angharad y ferch

Yr oedd Angharad yn eisteddfotwraig bybyr, yn Gymraes i'r carn. Yr oedd hefyd yn ferch anghyffredin iawn. Yn ei hymwneud â'r eisteddfodau, ac â chasglu a chopïo, byddai'n troi o fewn cylch yr hen bersoniaid llengar, a'r 'lodes lengar' honno Mair Richards. Ond ar ddiwedd y 1830au, daeth i gysylltiad â chylch o ferched arbennig iawn wrth iddi ddechrau mynychu Eisteddfodau Cymreigyddion y Fenni. Daeth yn ffrind da i Augusta Hall (Arglwyddes Llanofer neu Gwenynen Gwent), a bu'n aros yn y Tŷ Ucha, cartref Mrs Waddington, mam Augusta, sawl gwaith. 'Brenhines y Beirdd' oedd enw Augusta Hall arni, ac ymhyfrydai yn ei chwmni difyr a ffraeth.[36] Yno yn Llanofer fe'i cyflwynwyd i'r Arglwyddes Charlotte Guest, yr Arglwyddes Coffin Greenly (Llwydlas) a Maria Jane Williams, Aberpergwm. Byddwn yn rhoi llawer iawn am gael clywed eu sgwrs! Cawn glustfeinio o bryd i'w gilydd wrth ddarllen gohebiaeth y gwragedd. Un tro, haerodd Angharad, o flaen y gwesteion yn Llanofer, bod ganddi gynllun arbennig, sef priodi y Pabydd Daniel O'Connell;[37] dadleuai y byddai o fewn dwy flynedd naill ai wedi llwyddo i'w droi'n Anglicanwr neu wedi ei ladd.[38] Yn dilyn yr ymweliad, ysgrifennodd Angharad:

> Mrs Hall rises daily in my estimation – there is in her a sincerity and warmth of heart that is quite cynesol, and I shall leave my new friends with regret – I must not omit telling you that my O'Connel joke ended in my receiving a clever letter written in his name supposed to be addressed me by him, and actually franked by himself ...[39]

Mae'r afiaith a deimlai yn Llanofer, yng nghwmni'r merched hyn, yn amlwg. Dyma fywyd hollol wahanol i'w bywyd yng Nghaerwys. Ymhlith ei llawysgrifau ceir albwm bychan (NLW 781A) gyda phob math o ddarluniau, gan gynnwys llun mewn pensil o Angharad gan Augusta Hall; llun dyfrlliw o Angharad gan Mrs Berrington (chwaer Benjamin Hall); a llun o Carnhuanawc gan Angharad. Mae llyfr llofnodion o'i heiddo wedi ei ddiogelu hefyd sydd yn cynnwys cerdd gan Richard Richards Caerwys, dau bennill gan Carnhuanawc, a phennill gan Charlotte Guest yn ei chyfarch yn y Gymraeg:

> Mawr groesaw i Angharad
> I ddod i'r Dowlais dro
> Mawr groesaw i Angharad
> I'r hon Forgannwg fro
> Mawr groesaw i Angharad
> I ddyfod i'm tŷ i
> Mae'm gŵr a minnau'n llawen
> Yn wir o'i gweled hi.[40]

Yn nhŷb llawer i feirniad, nid oedd Charlotte Guest yn medru'r Gymraeg;[41] dyma awgrym cryf i'r gwrthwyneb. Byddai'r merched yn cyfarch ei gilydd yn aml ar gân – mae Augusta Hall, er enghraifft, yn ysgrifennu llythyr ar ffurf rhigwm at Helen Lloyd, chwaer Angharad, yn gofyn a gai Angharad aros yn hwy: '... We must keep Angharad/For no one can *siarad* to the Captain besides himself', gan orffen:

> My light is gone, my ink is spent
> Eich gwir gyfaill Gwenynen Gwent.[42]

A'r Arglwyddes Greenly yn cyfarch Angharad yn 1837:

> Angharad! Bards thy praise have sung
> To the lov'd harp, thy hills among.
> And to Eryri's farthest bound
> And Wyddfa's steeps the strains resound
> And now Deheubarth's vales among
> A minstrel bard will wake the song
> To welcome her whose mind's the store
> Of Cambria's interesting lore ...[43]

Yr oedd merched Oes Fictoria yn tueddu i weld eu hunain fel merched, hynny yw fel grŵp ar wahân; byddai popeth yn cael ei feirniadu ochr yn ochr â llwyddiannau'r dyn. Sylwer ar eiriau Charlotte Guest, er enghraifft:

> How deeply I have felt this inferiority of sex and how humiliated I am when it is recalled to my mind in allusion to myself! Knowing that most wives are but looked upon as nurses and housekeepers (very justly too) I have striven hard to place myself on a higher level – and dear Merthyr,[44] who knows how sensitive I am on this point, and who really does think that some women are rational beings – has always aided and encouraged me – I have given myself almost a man's education from the age of twelve when I first began to follow my own devices – and since I married I have taken up such pursuits as in this country of business and ironmaking would render me conversant with what occupied the

> male part of the population – Sometimes I think I have succeeded pretty well – but every now and then I am painfully reminded that toil as I may, I can never succeed beyond a certain point and by a very large portion of the community my acquirements and judgements must always be looked upon as those of a mere woman.[45]

Dyna paham, wrth gwrs, y defnyddiai merched y cyfnod ffugenwau yn aml, rhywbeth a oedd yn rheidrwydd wrth gystadlu'n eisteddfodol. Yn ddiddorol iawn, defnyddiai Angharad ffugenwau benywaidd – Bronwen yn Eisteddfod Biwmares, Buddug yn Eisteddfod Dinbych. Cyn Eisteddfod Dinbych, yn 1828, ysgrifennodd at Gwallter Mechain i ddweud na fyddai hi yno y diwrnod cyntaf i gasglu ei gwobr – 'you know my reason'.[46] Pam tybed? Anodd credu mai gwyleidd-dra oedd y rheswm. Ond tybed a ystyriai nad oedd yn weddus i ferch ddangos ei hun fel awdur? Dyma yn sicr oedd barn Robert Southey wrth gyfathrebu â Charlotte Brontë yn 1837: 'Literature cannot be the business of a woman's life, and it ought not to be'.[47] Probert o Norwich a ddaeth yn ail i Angharad yn Eisteddfod Dinbych:

> (he) was so mortified, surprised etc., that he never owned himself till Dr. Ow. Pugh found out by his manner, and soon convinced him that no MSS in the kingdom contained such information as the Caerwys collection.[48]

Cael ei guro gan ferch! Yr oedd Angharad, ar y llaw arall, wrth ei bodd, yn arbennig pan soniwyd amdani ym mhapurau newydd Llundain, '... a lady gaining the Prize is something so new ... '.[49] Sylwer nad oedd yn bresennol pan gyhoeddwyd y feirniadaeth yn Biwmares ychwaith, ac na roes ei henw ar ei hargraffiad o'r *History of the Gwydir Family* (1827).

Yn wahanol iawn i Mair Richards a Charlotte Guest, ychydig a ddatguddir gan Angharad Llwyd ynglŷn â'i theimladau personol. Tybed a oedd yn dyheu am briodi? Ceir penillion yn un o'i llawysgrifau gan 'Morgan ap Rhis, Mynidd yr cryr, Tachwedd 11, 1825, Llaniwllyn':

Angharad gwrandwch arnaf
Mai arni eisiau wraig
Yn blaen i chwi llefaraf
Nid wif fi fawr o sclaig.

Ond Cymro glan ir ydwyf
A gariad genif i chwi
Gan hyny rwyf yn deisyf
Mai un y byddwn ni.

Dewch i mi hyn ddymined
Na newch i moni gwrthod
Gan ddisgwil ail gofyniad …

Un sobr iawn wi fi
Fy mhibell yn y gornel
Fy unig gariad anwyl
Mor happis fyddwn ni …

Danfonwch ataf lythir
Trwi Hwmfra ap Cydwalad
Rhowch gobeth im a chysir
A paidiwch bod yn galed.[50]

A oedd Morgan o ddifrif tybed? Fel y gwelwyd, yr oedd bod yn ddi-briod yn golygu bod yn or-ddibynnol ar berthnasau gwrywaidd, rhywbeth a oedd yn rhwystredigaeth i Mair Richards yn sicr. Yn 1851 ysgrifennodd ei chyfeilles Sarah ati fel hyn (a'r ddwy yn eu chwedegau):

> … sometimes I am wicked enough to think that if we were young gay girls perhaps we should be thought worth taking up to see the Exhibition but as it is no one likes to be troubled with a couple of toothless old women. What a pity it is that we cannot put our hand into our own pocket and from thence take out enough to enable us to go where we like, without being obliged to any one – but never mind there are greater evils than this even. – so we must remain passive and enjoy what lies

within our reach, you may depend on this that if I could I would certainly see the Great Glass House.[51]

Ceir awgrym clir nad oedd Angharad ychwaith yn hapus gyda'i sefyllfa ddibynnol: yn 1837, wedi i Fictoria esgyn i'r orsedd, ysgrifennodd ati i'w llongyfarch. Ychwanega:

> Do you recollect when I had the pleasure of meeting you in Mona that you kindly listened to my History of family struggles, limited means, etc., and promised your advice, if ever I stood in need of it. I am now constantly urged by very many friends to apply for some situation in the Royal Establishment that may enable me to live independent of my kind brother Llewelyn ... [52]

Cafodd ei chyngori i anfon y llythyr at Geidwad y Pwrs Cyfrin – ni wyddys a dderbyniodd ateb. Ond dibynnol ai peidio, yr oedd gan Angharad gryn dipyn o annibyniaeth, mwy yn wir na phe bai wedi priodi a magu llond tŷ o blant. Yr oedd yn gymeriad cryf a disgybledig; yn wahanol i lawer o ferched y cyfnod, dewisodd beidio ag ysgrifennu am bynciau 'benywaidd' ac atgyfnerthu ei stâd 'ymylol'. Yn hytrach, camodd yn fwriadol ac yn hyderus i ganol sffêr y dynion a phrofi ei hunan gystal os nad gwell na hwy yn aml. Dadleua Mari Ellis ei bod 'wedi wynebu anawsterau fel merch yn 'tresmasu' ym myd dynion'.[53] Do, mae'n siwr. Ond wedi dweud hynny, teimlaf rywsut ei bod hi wedi *perchnogi* maes y dynion, a'i gwneud yn faes iddi hi ei hun. Mae dynion ei chyfnod yn ei pharchu, yn gofyn ei barn – llwyddodd i groesi'r ffin.

Bu farw Angharad Llwyd yn Tŷ'n Rhyl ar 16 Hydref, 1866, yn 86 mlwydd oed. Cafodd fywyd hirfaith: naw oed ydoedd pan dorrodd y Chwyldro yn Ffrainc; bu fyw trwy ryfeloedd Prydain yn erbyn Napoleon, a thrwy Ryfel Cartre America.[54] Merch ei thad ydoedd, yn dilyn ei ddiddordebau ym maes hynafiaethau, hanes Cymru a'r eisteddfod. Ond aeth gam ymhellach nag ef: ychwanegodd yn sylweddol at ei gasgliad o lawysgrifau, cyhoeddodd draethodau eisteddfodol ar hanes Cymru, casglodd hen greiriau, cofnododd arferion gwerin ... treuliodd ei bywyd yn gwasanaethu Cymru. A llwyddodd i wneud hyn er gwaethaf holl ragfarnau'r cyfnod yn erbyn merched – 'siw ddynes wiw ddoniol' yn wir.

Nodiadau

[1] Darlith Cymdeithas Hanes Sir Fflint a draddodwyd yn Eisteddfod Genedlaethol Sir Fflint a'r Cyffiniau, 2007.

[2] Sef 'dynes ddoeth, ragorol, ddawnus'. Hoffwn gydnabod fy nyled enfawr i 'syw ddynes' arall wrth fynd ati i baratoi'r ddarlith hon, sef y Dr Mari Ellis. Fel y gwelir, yr wyf yn pwyso'n drwm ar ei hymchwil ac yn dibynnu'n aml ar ei thrawsgrifiadau o lawysgrifau Angharad Llwyd. Yr wyf hefyd yn gwneud deunydd helaeth o'i herthygl arloesol: 'Angharad Llwyd, 1780-1866', *Taliesin* 52 (1985), tt. 10-43 a 53 (1985), tt. 20-31. Gweler hefyd Mary Ellis, 'Angharad Llwyd 1780-1866', *Cylchgrawn Cymdeithas Hanes Sir Fflint* 26 (1973-74), tt. 52-95 a 27 (1975-76), tt. 43-84.

[3] Am drafodaeth ar Mair Richards, gweler Mary Ellis, 'Mair Richards Darowen (1787-1877): Portread', *Yr Haul a'r Gangell* (1977a 1978), tt. 21-25 a 28-34. Gweler hefyd Sioned Davies, ''Far from the Madding Crowd': A Montgomeryshire Lady in London', *Trafodion Anrhydeddus Gymdeithas y Cymmrodorion 2006*, 13 (2007), tt. 74-93.

[4] Am drafodaethau cyffredinol, gweler er enghraifft Bridget Hill, *Women, work and sexual politics in eighteenth-century England* (London, 1989); Joan Perkin, *Victorian Women* (London, 1993); Siân Rhiannon Williams, 'The true "Cymraes": images of women in women's nineteenth-century Welsh periodicals', yn Angela V. John gol., *Our Mother's Land: Chapters in Welsh Women's History 1830-1939* (Cardiff, 1991), tt. 69-91.

[5] Bridget Hill, *Women, work and sexual politics*, t. 222.

[6] Mari Ellis, 'Angharad Llwyd' (1985), t. 12.

[7] Gludwyd llun teigr o ryw bapur newydd ar y clawr cefn, ynghyd â darn printiedig yn sôn am 'Cymmanfa Cader Idris'. Anodd dirnad y berthynas rhyngddynt! Gweler Sioned Davies, ''Far from the Madding Crowd: A Montgomeryshire Lady in London' (2007), tt. 78-80.

[8] Gweler, er enghraifft, NLW 1582E a 1583.

[9] Mari Ellis, 'Angharad Llwyd' (1985), t. 16.

[10] Sylwer bod Charlotte Guest, er enghraifft, yn cyflwyno ei chyfieithiad o'r *Mabinogion* i ddau o'i meibion, yn y gobaith 'that you may become early imbued with chivalric and exalted sense of honour, and fervent patriotism'.

[11] Gweler Michael Cronin, *Translating Ireland: Translation, Languages, Cultures* (Cork, 1996), t. 4.

[12] Fe'i dyfynnir yn Revel Guest ac Angela V. John, *Lady Charlotte: A Biography of the Nineteenth Century* (London, 1989), t. 101.

[13] Am drafodaeth gyffredinol, gweler Bedwyr Lewis Jones, *Hen Bersoniaid Llengar* (Penarth, 1963) a Mari Ellis, 'Rhai o Bersoniaid Llengar Maldwyn' yn *Bro'r Eisteddfod (Cyflwyniad i Faldwyn a'i Chyffiniau)* (Abertawe, 1981), tt. 85-116.

[14] Mari Ellis, 'Angharad Llwyd' (1985), t. 35.

[15] Mari Ellis, 'Angharad Llwyd' (1985), t. 20.

[16] NLW 4857D. Yn Eisteddfod Caernarfon yn ddiweddarach y flwyddyn honno, troes ei sylw at wisgoedd y merched a oedd yn canu penillion gan gynghori Ifor Ceri fel a ganlyn: 'Let them be clad in the dress of their country, mob caps and the becoming black hat'. Fel y dywed Mari Ellis, dyma gyfeirio at wisg draddodiadol 'ymhell cyn i Arglwyddes Llanofer "ddyfeisio'r' wisg Gymreig' ('Angharad Llwyd' (1985), t. 24).

[17] Am fwy o fanylion ynglŷn â'r cymhlethdodau yn dilyn y gystadleuaeth, gweler Mari Ellis, 'Angharad Llwyd' (1985), tt. 25-28.

[18] Testun y gystadleuaeth yn wreiddiol oedd 'The Fortifications and Castles of Wales' ond fe'i cwtogwyd i gynnwys cestyll y gogledd yn unig. Fodd bynnag, cwtogwyd y wobr hefyd a phan glywodd Angharad hyn: '... I laid down my pen – locked up my MSS and replaced the volumes of references on the shelves ... I wrote to tell the Secretary ... and gave my reason, which holds good. When they can lavish hundreds on fiddlers ...' (Mari Ellis, 'Angharad Llwyd' (1985), tt. 39-40).

[19] Cyhoeddwyd golygiad newydd o'r gyfrol yn 2008 gan Lyfrau Magma, Llansadwrn, Menai Bridge.

[20] Bronwen oedd ei ffugenw yn y gystadleuaeth.

[21] NLW Cwrtmawr 597C.

[22] Dyma enghraifft dda o'i thueddiad i dderbyn popeth yn anfeirniadol.

[23] Ymddangosodd ei chyfieithiad mewn saith rhan rhwng 1838 a 1845 (London). Yna fe'i cyhoeddwyd mewn tair cyfrol ysblennydd, *The Mabinogion from the Llyfr Coch o Hergest, and other ancient Welsh manuscripts with an English translation and notes* (London and Llandovery, 1849). Am fanylion pellach, gweler Sioned Davies, 'A Charming Guest: Translating the Mabinogion', *Studia Celtica* 38 (2004), tt. 157-78.

[24] Gweler Sioned Davies, 'Ail Gainc y Mabinogi – Llais y Ferch', *Ysgrifau Beirniadol XVII* (1990), tt. 15-20.

[25] NLW 13244B, t. 117.

[26] NLW 13263, t. 645.

[27] NLW 13263, t. 79.

[28] Mari Ellis, 'Angharad Llwyd' (1985), t. 37.

[29] NLW 1552C sydd yn cynnwys llythyr oddi wrth Tegid at Angharad Llwyd (5 Chwefror, 1824).

[30] Mari Ellis, 'Angharad Llwyd' (1985), t. 21.

[31] Dyfynnir ei llythyr at Gwallter Mechain yn T.I. Ellis, *Crwydro Sir Fflint* (Llandybïe, 1959), t. 53.

[32] NLW 1556. Gweler Mary Ellis, 'Teulu Darowen', *Journal of the Historical Society of the Church in Wales* 4 (1954), tt. 58-88; 79.

[33] Daw'r wybodaeth o drawsgrifiad y Dr Mari Ellis o ddyddiadur Mair Richards sydd bellach ar goll. Gweler Sioned Davies, "Far From the Madding Crowd': A Montomeryshire Lady in London' (2006), t. 90.

[34] Sioned Davies, 'Far from the Madding Crowd': A Montgomeryshire Lady in London' (2006), t. 92.

[35] Llawysgrif NLW 1577C.

[36] NLW 597C Cwrtmawr. Fe'i cyferchir fel 'Fy Anwyl Frenhines y Beirdd' mewn llythyr oddi wrth Augusta Hall (Awst 20, 1838).

[37] Yr oedd rhagfarn wrth-Babyddol Angharad yn wybyddus i bawb – dywedid y byddai'r Arglwydd Dungannon yn cyfeiro ei lythyrau ati fel hyn: 'Angharad Llwyd who loves the Pope – Rhyl' (NLW CB/30). Gweler Mari Ellis, 'Angharad Llwyd' (1985), t. 24.

[38] Ceir yr hanes yn NLW CA/2009, sef nodiadau a wnaethpwyd gan Maxwell Fraser o bapurau Llanofer.

[39] NLW CA/2009.

[40] NLW 23524B, t. 59. Nodir y dyddiad Hydref 28, 1837, ar ddiwedd y gerdd.

[41] Gweler Sioned Davies, 'A Charming Guest' (2004), t. 167.

[42] Mari Ellis, 'Angharad Llwyd' (1985), t. 25.

[43] NLW 781A.

[44] 'Merthyr' oedd ei llysenw ar ei gŵr, John Guest.

[45] Dyfyniad o'i dyddiadur yn Revel Guest ac Angela V. John, *Lady Charlotte: A Biography of the Nineteenth Century* (London, 1989), 31. Disgrifia'r tensiynau hyn yn ei bywyd wrth iddi fyfyrio ar gyfrol Hannah More, *Coelebs in Search of a Wife* (1809).

[46] Mari Ellis, 'Angharad Llwyd' (1985), t. 37.

[47] Yn Elizabeth Cleghorn Gaskell, *The Life of Charlotte Brontë* (London, 1908), tt. 102-3.

[48] Mari Ellis, 'Angharad Llwyd' (1985), t. 38.

[49] Mari Ellis, 'Angharad Llwyd' (1985), t. 38.

[50] NLW 1552C.

[51] Trawsgrifiad y Dr Mari Ellis. Gweler Sioned Davies, ''Far from the Madding Crowd': A Montgomeryshire Lady in London' (2006), 89. Cyfeiriad sydd yma at ddymuniad y ddwy i ymweld â'r 'Great Exhibition' yn y Crystal Palace, Llundain.

[52] Mari Ellis, 'Angharad Llwyd' (1985), t. 25.

[53] 'Angharad Llwyd' (1985), t. 31.

[54] Bendithiwyd ei chyfeillesau hwythau gyda hir oes: Mair Richards (1787-1877); Augusta Hall (1802-1896); Charlotte Guest (1812-1895).

Cyfraith Cymru[1]

Y Parchedig Athro Thomas Glyn Watkin

Mae'n bleser mawr gennyf gael bod yma heddiw yn traddodi'r ddarlith hon i Fforwm Hanes Cymru. Yr wyf yn ddiolchgar iawn i'r Fforwm a'i swyddogion am eu gwahoddiad ac am y cyfle i ddychwelyd at ychydig waith academaidd ar ôl dros flwyddyn yn gweithio fel gwas sifil. Yr wyf yn gobeithio y bydd fy mhrofiad o weithio'n agos at y broses o greu cyfraith ar gyfer y Gymru gyfoes wedi cyfrannu at fy nealltwriaeth o gyfraith Cymru yn yr oesoedd gynt. Ac y mae hynny'n codi cwestiwn yn syth, sef beth ydym yn ei ystyried wrth sôn am gyfraith Cymru?

Mae llawer iawn o gyfreithiau wedi bod mewn grym yng Nghymru dros y ddau fileniwm diwethaf ond ychydig iawn ohonynt – ychydig iawn, iawn – a gafodd eu gwneud yma. Ond efallai nad yw hynny'n golygu llawer, gan fod cyfreithiau yn yr oesoedd gynt yn cael eu gwneud gan frenhinoedd ac arglwyddi ac mae'n fwy na phosibl bod eu hanghenion hwy yn debyg iawn ble bynnag oedd eu cynefin. Gallwn weld, er enghraifft, bod rhai o'r newidiadau a wnaethpwyd gan dywysogion Cymru yn y drydedd ganrif ar ddeg yn deillio o'u huchelgais hwy i greu teyrnas lled gyffelyb ei ffurf i deyrnas eu cymdogion brenhinol yn Lloegr yn fwy nag i gyflwyno unrhyw fudd i'w pobl yng Nghymru.[2] Hyd yn oed pan yw cyfraith yn edrych fel un sydd wedi ei gwneud er lles y cyhoedd, y mae yna reswm arall, llai atyniadol, drosti. Cymerwch er enghraifft gyfraith yr Ymerawdwr Rhufeinig Caracalla yn y drydedd ganrif – y *constitutio Antoniniana* – a roddodd ddinasyddiaeth Rufeinig i bob person rhydd yn yr ymerodraeth. Er bod y ddeddf yn edrych fel un sydd yn ehangu breiniau'r cyhoedd, mae'n debyg mai'r gwir reswm dros y ddeddf oedd er mwyn ehangu'r nifer o bobl a dalai dreth i'r wladwriaeth, gan fod pob dinesydd Rhufeinig yn gymwys i dalu'r fath dreth. Mewn gwirionedd felly roedd deddf Caracalla yn rhywbeth tebyg i'r stealth taxes y clywn gymaint amdanynt heddiw, ac os nad oedd yn gwmws yr un math o beth, yr oedd yn perthyn i'r un *genus* beth bynnag.[3]

Heddiw, wrth gwrs, y mae'r cyfreithiau a wneir ar gyfer pobl Cymru yn cael eu deddfu gan aelodau Cynulliad sydd yn cynrychioli'r bobl gyffredin. I ryw raddau, y mae'r deddfau yn adlewyrchu dewisiadau'r cyhoedd trwy'r broses ddemocrataidd. Gyda mesurau'r Cynulliad Cenedlaethol y mae Cymru, am y tro cyntaf yn ei hanes efallai, yn defnyddio ei phwerau deddfwriaethol ei hun. Y mae oes newydd wedi gwawrio.[4]

Er bod hyn yn wir, y mae'n eglur hefyd nad gan frenin neu arglwydd y gwnaed hen Gyfreithiau Cymru, neu Gyfraith Hywel Dda fel yr adnabyddir hi. Yng ngeiriau'r Athro Dafydd Jenkins, nid *Kaiserrecht* ydyw ond *Volksrecht*, cyfraith sydd yn seiliedig ar arferion y werin.[5] Y mae'n debyg fod y cyfarfod a gynhaliwyd gan y brenin Hywel yn yr Hendy-gwyn ar Daf yn y ddegfed ganrif wedi bod yn gyfrifol nid am ddeddfu yn ystyr y gair yna heddiw – hynny yw penderfynu ar bolisïau a deddfu er mwyn dod a hwy i rym, ond yn hytrach wedi cofnodi arferion y Cymry fel yr oeddent yn bodoli ar y pryd. Felly, y mae cynnwys cyfreithiau Cymru yn oes Hywel ac yn ddiweddarach yn adlewyrchu arferion y Cymry, eu ffordd o fyw a'u gwerthoedd

Rhaid cyfaddef hefyd bod tywysogion Cymru, er eu bod eisiau gwneud newidiadau o bryd i'w gilydd i'r arferion hyn a gynhyrchwyd yng nghyfraith Hywel pan oedd o fudd i'w gweledigaeth o sut i ddatblygu eu hawdurdod, eto yr oeddent hefyd yn barod i amddiffyn rhai o arferion eu pobl rhag newid i gydymffurfio a pholisïau awdurdodau eraill. Ceir enghraifft o hynny yn eu hymwneud â chyfraith yr eglwys ynglŷn â phriodas a chyfreithusrwydd plant benywod dibriod.

Down yn ôl at y materion hynny. Yr wyf am ganolbwyntio i ddechrau ar y ffaith mai er mai *Volksrecht* nid *Kaiserrecht* oedd Cyfraith Hywel, nid yw hynny'n golygu ei bod yn gwbl rydd o ddylanwadau o'r tu allan i Gymru. Nid yw'n bosib dweud mai cyfreithiau unigryw'r Cymry oedd Cyfraith Hywel. Yr oedd Cymry'r ddegfed ganrif yr un mor agored i ddylanwadau o wledydd a chyfundrefnau cyfreithiol eraill â Chymru'r unfed ganrif ar hugain. Ystyriwch er enghraifft y cyfreithiau cyntaf, y Mesurau, y mae'r Cynulliad Cenedlaethol wedi eu gwneud ar ei newydd wedd o dan Ddeddf Llywodraeth Cymru 2006. Y mesur cyntaf a gafodd ei wneud oedd y Mesur Gwneud Iawn am Gamweddau'r Gwasanaeth Iechyd Gwladol, mesur sydd yn anelu at greu proses symlach a rhatach i bobl derbyn iawn os ydynt wedi dioddef camdriniaeth feddygol y mae'r GIG yn atebol drosti. Er mai'r Cynulliad a ddeddfodd y mesur ac mai Llywodraeth Cymru a gynhyrchodd y mesur o flaen y Cynulliad, y mae'r Mesur yn seiliedig ar ddeddf a wnaethpwyd gan Senedd San Steffan yn y flwyddyn 2006.[6] Er bod y Cynulliad yn gwbl rydd i ddatblygu proses wahanol ar gyfer Cymru, eto dewisodd y Cynulliad ddilyn esiampl San Steffan wrth ddeddfu ar y mater hwn. Nid oes unrhyw rinwedd mewn bod yn wahanol dim ond er mwyn bod yn wahanol. Y mae pob cyfundrefn gyfreithiol yn agored i ddylanwadau o'r tu allan. Nid yw Cymru ein hoes ni yn eithriad ac nid oedd Cymru oes Hywel yn eithriad ychwaith.

Y cwestiwn pwysig, fodd bynnag, yw pa ddylanwadau y mae Cyfraith Cymru yn agored iddynt – pa ddylanwadau oedd yn effeithiol yn oes Hywel, pa ddylanwadau sydd yn effeithio ar gyfreithiau'r Cynulliad, ac efallai'r cwestiwn mwyaf diddorol un – a oes yna ddylanwadau cyson sydd wedi effeithio ar ein cyfreithiau o oes i oes, gwerthoedd oedd yn ffurfio ein cyfreithiau yn oes y tywysogion ac sydd eto yn dylanwadu ar ein deddfau heddiw? Efallai ei bod yn taro'n od fod modd i hyn ddigwydd, ond cofiwch fod rhai gwerthoedd cyfreithiol wedi parhau yn atyniadol dros nid yn unig ganrifoedd ond hyd yn oed dros filenia – yr enghraifft gliriaf efallai yw dylanwad Cyfraith Rhufain ar gyfundrefnau cyfreithiol gwledydd cyfandir Ewrop a thrwyddynt hwy'r gwledydd sydd wedi dilyn eu hesiampl a mabwysiadu cyfreithiau ar fodel Cyfraith Sifil Rhufain, hynny yw gwledydd y Gyfraith Sifil.

Mae'r cwestiwn ynglŷn â pha ddylanwadau oedd yn effeithio ar gyfraith Cymru fel y mae Cyfraith Hywel yn tystiolaethu amdani yn un anodd iawn i'w ateb. Wrth edrych ar gynnwys y cyfreithiau brodorol, y mae'n anodd iawn dweud eu bod hwy yn tystiolaethu am arferion y Cymry yn unig. Rhaid cofio bod y Cymry eisoes wedi teimlo nifer o ddylanwadau cyfreithiol. Yr oedd yr hen Frythoniaid yn byw yn yr ynysoedd yma wrth gwrs cyn i'r Rhufeiniaid gyrraedd, ac yr oedd rhaid iddynt gael rhyw fath o gyfundrefn gyfreithiol i reoli eu bywydau. Ond yn anffodus, nid oedd diwylliant ysgrifenedig ganddynt, ac felly nid oes tystiolaeth uniongyrchol ynglŷn â'u harferion. Rhaid i ni ddibynnu ar dystiolaeth y bobloedd a ddaeth o hyd iddynt, fel er enghraifft yr awduron Rhufeinig Iwl Cesar a Tacitus.[7] Beth bynnag oedd rhinweddau'r awduron hyn, mae'n annhebyg iawn eu bod yn gwir ddeall arferion y bobl frodorol nac fod arnynt eisiau eu deall. Wedi'r cyfan, concwerwyr milwrol a llywodraethwyr yr ymerodraeth oeddent nid anthropolegwyr. Felly, os ydym am wybod rhywbeth am arferion y bobl frodorol rhaid dibynnu ar dystiolaeth gweddill eu harferion os oes rhai yn goroesi ymhlith arferion y Cymry ganrifoedd yn ddiweddarach yn ôl tystiolaeth Cyfraith Hywel.

Er mwyn darganfod unrhyw dystiolaeth o'r fath, mae rhaid i ni ddechrau wrth dynnu ymaith unrhyw elfennau cyfreithiol a fabwysiadodd y Cymry o gyfundrefnau cyfreithiol eraill, fel wrth gwrs Cyfraith Sifil Rhufain. Mae'n hollol amlwg wrth edrych ar rai elfennau o Gyfraith Hywel bod Cyfraith Rhufain wedi dylanwadau ar y gyfraith frodorol. Yr oedd cymaint â hyn yn glir i T.P.Ellis pan ysgrifennodd ei lyfr, *Welsh Tribal Law and Custom,* ar ddechrau'r ugeinfed ganrif.[8] Mae'n amhosibl darllen cynnwys Cyfraith Hywel ynglŷn â benthyg, er enghraifft, heb weld cysylltiad clir gyda'r modd yr oedd cyfreithwyr Rhufain yn cyflwyno'r pwnc yn nhermau *mutuum* (benthyg i dreulio), *commodatum* (benthyg i ddefnyddio), *depositum* (benthyg er gofal) a *pignus* (gwystl ar gyfer dyled).[9] Nid oes unrhyw siom na sioc yn hyn. Y mae eu modd o ymdrin â'r pwnc eisoes yn dylanwadu ar gyfreithiau ynglŷn â hyn ledled Ewrop, a hyd yn oed pan ddaeth Cyfraith Loegr i drafod y cwestiynau cyfreithiol hyn, mabwysiadodd y barnwyr a'r awduron yr un cysyniadau Rhufeinig. Yr esiampl orau o hyn yw efallai ddyfarniad Prif Ustus Holt yn achos *Coggs v Bernard* yn 1703.[10]

Felly, fel y dywedwyd yn gynharach, os nad oes diben mewn bod yn wahanol dim ond er mwyn bod yn wahanol, fe ddylem ymlawenhau yn y ffaith bod cyfreithwyr a rheolwyr Cymru yn oes y tywysogion wedi bod yn ddigon doeth i adnabod gwerth y cyfraniad Rhufeinig i'w cyfundrefn gyfreithiol a'i barchu a'i gadw.

Oherwydd y posibilrwydd bod arferion y Cymry wedi teimlo dylanwad cyfraith Rhufain, ni allwn ni ddweud felly bod unrhyw elfen o Gyfraith Hywel sydd yn debyg i elfennau o gyfraith Rhufain yn wirioneddol Geltaidd yn ei deilliad. Yn anffodus, y mae hyn yn cwmpasu rhan helaeth o gynnwys y llyfrau cyfraith. Hefyd, y mae'n rhaid ystyried y posibilrwydd o ddylanwadau eraill, gan gynnwys mabwysiadau o gyfraith Iwerddon, gyda'r mewnfudo i ardaloedd gorllewinol Cymru o Iwerddon a ddigwyddodd yn ystod y bumed a'r chweched ganrif. Mae'n amlwg bod rhai o'r dylanwadau hyn wedi creu gwahaniaethau rhwng, er enghraifft arferion de-orllewin Cymru – y Deheubarth – a'r de-ddwyrain – Morgannwg a Gwent. Un enghraifft yw'r faith bod yna reoliadau ynglŷn â pherchen eiddo trwy hir feddiant, hynny yw presgripsiwn, yn y de- ddwyrain ond nad oes rheoliadau o'r fath yn y de-orllewin.[11]

Elfen arall y mae'n rhaid i ni ei hosgoi yw cyfreithiau oedd yn deillio o ddylanwad yr Eglwys ar fywyd Cymru, er ei bod yn glir weithiau fod yr arferion brodorol wedi gwrthsefyll y dylanwad hwn i ryw raddau fel y byddwn yn gweld ychydig yn ddiweddarach. Fodd bynnag, mae'n glir fod yna ddylanwad wedi bodoli, ac wrth gwrs y mae'r traddodiad am Hywel Dda yn mynd â'i gyfreithiau at y Pab yn Rhufain er mwyn iddynt dderbyn sêl bendith yr Eglwys yn enwog, fel y mae'r ffaith bod Hywel wedi ymrwymo cynrychiolwyr eglwysig at y gwaith o gasglu ac adolygu arferion ei bobl. Yn ôl traddodiad y de-orllewin, archddiacon Llandaf, Blegywryd, oedd ysgrifennydd y cynulliad yn Hendy-gwyn, ac fel *Llyfr Blegywryd* 'yr adnabyddir fersiwn Cymraeg y traddodiad hwnnw.[12]

Mae'n eglur felly fod yr Eglwys wedi dylanwadu ar gyfreithiau Cymru yn oes y tywysogion. Y mae'n bosib mai'r Eglwys oedd yn gyfrifol am y syniad o gasglu a chofnodi'r arferion yn y lle cyntaf. Mae'n amlwg bod hyn wedi bod yn digwydd dros Ewrop ar y pryd, gyda chasgliadau yn cael eu gwneud, er enghraifft, o gyfreithiau'r Eingl-Sacsoniaid y drws nesaf yn Lloegr.[13] Hefyd, mae'n debyg bod yr Eglwys wedi gwneud ei gorau glas i sicrhau bod unrhyw arferion paganaidd yn cael eu dileu o gronfa'r cyfreithiau. Er nad oedd hyn yn gymaint o broblem yng Nghymru ag yr oedd yn rhai gwledydd, oherwydd bod y Cymry wedi bod yn Gristnogion am ganrifoedd, gyda'r ffydd yn tarddu o'r cyfnod pan oedd y wlad yn rhan o'r ymerodraeth Rufeinig.

Ac mae hyn yn codi cwestiwn arall, cwestiwn sydd yn fy marn i wedi cael ei esgeuluso i ryw raddau dros y blynyddoedd. Os oedd Cymru yn wlad Gristnogol a'r Eglwys a'r ffydd yn ddylanwad pwysig a phwerus ar ei harferion, onid oedd yna ffynhonnell arall gyfreithiol a allasai fod wedi bod yn ddylanwad ar arferion y bobl Gristnogol hyn? Y ffynhonnell yr wyf yn cyfeirio ati yw'r Beibl, yr Ysgrythur Lân.

Mae'r cysylltiad rhwng yr ysgrythur a'r cyfreithiau yn amlwg efallai o'r ffaith bod y llawysgrif gynharaf sydd gennym o gyfreithiau Cymru yn tarddu o ffynhonnell ysgrythurol, y *memorandwm Surrexit* yn Efengylau Caerlwytgoed.[14] Y mae'r llawysgrif hon yn dyddio o'r nawfed ganrif, ond wrth gwrs yr oedd y Cymry wedi bod yn Gristnogion am hanner mileniwm cyn hynny. Rhaid, fodd bynnag, bod yn ofalus wrth sôn am y Beibl yn ystod y cyfnod pan oedd Cymru yn rhan o'r ymerodraeth Rufeinig, oherwydd dim ond tua diwedd yr ail ganrif y dechreuodd canon y Beibl fel yr ydym ni yn ei adnabod gael ei setlo, a dim ond ar ôl 367, a Llythyr Gŵyl Athanasius ynglŷn â'r Ysgrythur, y gallwn ni sôn am y Beibl yn ein hystyr ni o'r term.[15] Hefyd, yr ydym yn gwybod bod esgobion o Brydain wedi mynychu cynghorau ar y Cyfandir, fel Cyngor Arles yn 314 yn ystod y cyfnod pan oedd y canon yn cael ei drafod a'i setlo.[16]

Un o'r elfennau lle mae cyfreithiau Cymru yn hollol wahanol i'r rhan fwyaf o gyfundrefnau cyfreithiol eraill yw yn eu triniaeth o estroniaid, dieithriaid neu, fel y mae Cyfraith Hywel yn eu galw, alltudion. Yn ôl cyfreithiau y rhan fwyaf o bobloedd yn oes Hywel, ac am rai canrifoedd wedyn, yr oedd dieithriaid o dan anfantais mewn gwlad oddi cartref. Yr enghraifft gliriaf efallai o Loegr oedd y modd yr oedd Iddewon yn cael eu trin gan gyfraith gwlad. Nid oedd yn bosibl iddynt ddwyn achosion o flaen llys y brenin ac nid oedd yn bosibl ychwaith iddynt berchnogi eiddo, ac eithrio yn ôl dymuniad y brenin. Felly, yr oedd yn bosibl i'r awdurdodau brenhinol yn Lloegr gymryd eu heiddo ar unrhyw adeg, a dyna wrth gwrs a ddigwyddodd pan gafodd yr Iddewon eu gyrru allan o Loegr gan y brenin Edward I yn 1290. Yr oedd holl eiddo estroniaid o dan nawdd y brenin, ac felly ansicr iawn oedd eu hawliau o dan gyfraith gwlad.[17] Yr oedd hyn yn wir ledled Ewrop yn ystod y canol oesoedd ac yr oedd yn sylfaen i'r modd yr oedd contractau a dyletswyddau rhyngwladol yn cael eu gorfodi trwy'r broses o ddial neu *reprisal.* Os oedd dyled yn ddyledus oddi wrth Sbaenwr, er enghraifft, i ddyn yn Lloegr, yr oedd yn agored i'r dyn hwnnw tan 1275,[18] gymryd meddiant drwy broses y llys o eiddo unrhyw Sbaenwr oedd yn Lloegr ar y pryd er mwyn talu'r ddyled, ac wedyn yr oedd yn fater i'r Sbaenwr anlwcus hawlio'r swm cyfatebol oddi wrth y gwir ddyledwr yn Sbaen ar ôl iddo ddychwelyd i'w wlad ei hun, a dyna oedd y drefn ar hyd a lled Ewrop ar y pryd.[19]

Dim ond mewn nifer bach o lefydd yr oedd dieithriaid yn cael eu trin yn well, ac roedd Cymru yn un o'r llefydd hynny. Yn ôl Cyfraith Cymru, yr oedd dieithriaid, alltudion, i gael eu trin yn hael gyda hyd yn oed broses sefydlog ynglŷn â sut yr oeddent i gael eu derbyn fel aelodau llawn o'r gymdeithas Gymreig. Os nad oedd y bobl yn rhoi bwyd, er engrhaifft, i ddieithryn, nid oedd yr alltud i gael ei gosbi am hyd yn oed ddwyn yr hyn yr oedd ei eisiau arno.[20]

Nawr, y mae'n gwbl wir fod Cyfraith Rhufain hefyd wedi delio ag estroniaid lawer yn well na chyfundrefnau cyfreithiol Ewrop yn ystod y Canol Oesoedd. Yr oedd y Rhufeiniad yn cydnabod dau fath o ddieithriad, dieithriad gelyniaethus ar yr un llaw, ond hefyd dieithriad cyfeillgar ar y llaw arall. Er nad oedd croeso i ddieithriaid gelyniaethus yn Rhufain, heblaw eu bod wedi eu caethiwo, yr oedd yna drefn arbennig o ddelio â materion dieithriaid cyfeillgar. Er nad oeddent yn gymwys i ddefnyddio'r gyfraith sifil – y gyfraith oedd yn gymwys ar ran dinasyddion Rhufeinig, yr oedd cyfundrefn arall ar gael iddynt oedd yn cyd-redeg â'r gyfraith sifil, ac, yn ôl pob tebyg, yn dylanwadu ar ddatblygiadau yn y gyfraith sifil hefyd. Hon oedd y drefn a alwyd cyfraith y cenhedloedd, yr *ius gentium,* ac yr oedd ar gael ar gyfer dieithriaid cyfeillgar pan oeddent yn Rhufain er mwyn iddynt, er enghraifft, farchnata a'i gilydd a hefyd gyda dinasyddion Rhufeinig. Yr enw ffurfiol ar y dieithriaid cyfeillgar hyn oedd *peregrini,* pobl oedd wedi dod i Rufain trwy'r caeau, *per agros,* ac wrth gwrs, *peregrinus* yw tarddiad ein gair ni yn y Gymraeg pererin, a llawer o'r geiriau â'r ystyr hwnnw mewn ieithoedd eraill, gan gynnwys *pilgrim* yn Saesneg a *pélérin* yn Ffrangeg.[21]

Fodd bynnag, er bod y Rhufeiniaid yn delio'n weddol hael felly â dieithriaid cyfeillgar, nid oeddent yn mynd mor bell â'r Cymry yn eu cyfeillgarwch. Yn ychwanegol i'r ffaith fod yna ddyletswydd i roi bwyd iddo, yr oedd gan yr alltud hawl i eiriolwr yn rhad ac am ddim os byddai raid iddo ei amddiffyn ei hun o flaen llys.[22]

Ond y mae yna drefn gyfreithiol yn yr hen fyd sydd yn debyg iawn i hynny ymhlith y Cymry, a hynny yw'r drefn yr ydym yn darllen amdani yn yr Hen Destament. Yn ôl llyfr Exodus, gwaharddwyd yr Israeliaid rhag gwneud cam ag estroniaid:

> Paid â gwneud cam â'r estron, na'i orthrymu, oherwydd estroniaid fuoch chwi yng ngwlad yr Aifft.
>
> Exodus 22. 21

Hefyd, y mae'r un ffynhonnell yn gwahardd yr Israeliaid rhag gorthrymu'r fath bobl:

> Paid â gorthrymu'r estron, oherwydd fe wyddoch chwi beth yw bod yn estron am mai estroniaid fuoch yng ngwlad yr Aifft.
>
> Exodus 23. 9

Roedd cyfraith Moses fodd bynnag nid yn unig yn gwahardd cam-drin estroniaid, yr oedd yn mynd lawer yn bellach na hynny, ac o ganlyniad, lawer yn bellach na Chyfraith Rhufain. Yn ôl llyfr Lefiticus:

> Pan fydd estron yn byw gyda thi yn dy wlad, nid wyt i'w gam-drin. Y mae'r estron sy'n byw gyda thi i'w ystyried gennyt fel brodor o'ch plith; yr wyt i'w garu fel ti dy hun, oherwydd estroniaid fuoch chwi yng ngwlad yr Aifft.
>
> Lefiticus 19. 33

ac y mae'r un neges i'w weld yn llyfr Numeri:

> Un ddeddf fydd i'r cynulliad ac i'r dieithryn yn eich plith, ac y mae'r ddeddf honno i'w chadw trwy eich cenedlaethau; yr ydych chwi a'r dieithryn yn un gerbron yr Arglwydd. Un gyfraith ac un rheol fydd i chwi ac i'r dieithryn a fydd gyda chwi.
>
> Numeri 15. 15

Y mae Lefiticus hefyd yn gorchymyn y bobl i drin y tlodion yr un mor garedig ag y maent yn trin estroniaid – tystiolaeth glir felly am beth oedd disgwyliadau'r gyfraith oddi wrth bobl Dduw ynglŷn ag estroniaid:

> Os bydd un ohonoch yn dlawd a heb fedru ei gynnal ei hun yn eich plith, cynorthwya ef, fel y gwnait i estron neu ymsefydlydd gyda thi, er mwyn iddo fyw yn eich mysg. Paid â chymryd llog nac elw oddi wrtho, ond ofna dy Dduw, er mwyn i'th frawd barhau i fyw yn eich mysg. Nid wyt i fenthyca arian iddo ar log nac i werthu bwyd iddo am elw.
>
> Lefiticus 25. 35-37

Yn ôl Deuteronomium, fel yna y mae Duw yn delio â phobl anghenus, ac fe ddylai pobl Dduw ymddwyn yn yr un modd:

> Y mae'n gwneud cyfiawnder â'r amddifad a'r weddw, ac yn caru'r dieithryn, a rhoi iddo fwyd a dillad. Yr ydych chwithau i garu'r dieithryn, gan i chwi fod yn ddieithriaid yng ngwlad yr Aifft.
>
> Deuteronomium 10. 18-19

ac y mae Job yn mesur ei ofn o Dduw wrth ystyried a ydyw wedi cadw at y gorchmynion hyn:

> Os rhwystrais y tlawd rhag cael ei ddymuniad,
> neu siomi disgwyliad y weddw;
> os bwyteais fy mwyd ar fy mhen fy hun,
> a gwrthod ei rannu â'r amddifad ...
>
> os gwelais grwydryn heb ddillad
> neu dlotyn heb wisg,
> a'r lwynau heb fy mendithio
> am na chynheswyd ef gan gnu fy ŵyn; ...
>
> yna disgynned f'ysgwydd o'i le,
> a thorrer fy mraich o'i chyswllt.
>
> Job 31. 16-22

Er nad oedd yr Israeliaid yn darparu cyfundrefn gyfreithiol arbennig ar gyfer estroniaid yn y modd yr oedd y Rhufeiniaid yn gwneud ar gyfer *peregrini,* yr oedd yn ddyledus ar eu barnwyr i drin dieithriaid yn gyfiawn. Yn ôl Deuteronomium unwaith eto:

> Yr adeg honno, rhoddais orchymyn i'ch barnwyr, a dweud wrthynt, 'Yr ydych i wrando ar achosion eich brodyr, ac i farnu'n gyfiawn rhyngoch chwi a'r dieithriaid sy'n byw yn eich plith ... '
>
> Deuteronomium 1. 16

ac yr oedd hyd yn oed hawl gan ddieithryn i ffoi i ddinas noddfa mewn achos o ddynladdiad:

> Bydd y chwe dinas hyn yn noddfa i bobl Israel, ac i'r dieithryn a'r ymwelydd yn eu plith, a chaiff pwy bynnag a laddodd ddyn yn anfwriadol ffoi iddynt.
>
> Numeri 35. 15

Elfen ddiddorol iawn yw'r ffaith bod hawl gan ddisgynyddion dieithryn i ymuno â chynulliad yr Israeliaid ar ôl tair cenhedlaeth, yr un amser ag yr oedd Cyfraith y Cymry yn ei bennu i ddieithriaid gael eu derbyn trwy briodi â'r brodorion, ac yn yr achos hwn y mae cyfieithiad Deuteronomium yn *Y Beibl Cymraeg Newydd* yn defnyddio'r un gair â'r cyfreithiau Cymreig i ddisgrifio'r estroniaid, sef *alltudion*:

> Nid wyt i ffieiddio Edomiad, oherwydd y mae'n frawd iti; nid wyt i ffieiddio Eifftiwr, oherwydd buost yn alltud yn ei wlad. Caiff eu disgynyddion ar ôl y drydedd genhedlaeth fynychu cynulleidfa'r Arglwydd.
>
> Deuteronomium 23. 7-8

Mae'n amlwg hefyd o lyfrau eraill yn yr Hen Destament bod yr Israeliaid yn parchu'r rheolau hyn, neu o leiaf yn cofnodi eu parch tuag atynt yn eu llyfrau hanesyddol. Er enghraifft, pan yw'r gyfraith cael ei chyhoeddi wrth i'r bobl feddiannu gwlad yr addewid, y mae llyfr Josua yn cofnodi:

> Yr oedd Israel gyfan – ei henuriaid, ei swyddogion a'i barnwyr – yn sefyll o boptu'r arch, gerbron yr offeiriaid, sef y Lefiaid oedd yn cludo arch cyfamod yr Arglwydd . Yr oedd estron a brodor fel ei gilydd yno …
>
> Josua 8. 33

Y mae yna felly debygrwydd rhwng cyfreithiau pobl Israel yn ôl llyfrau'r Hen Destament â chyfreithiau brodorol y Cymry, ac o leiaf y mae cwestiwn hanesyddol yma sydd yn haeddu ymchwil ac ymateb. Ystyriwch hefyd nad oes yna ond dwy enghraifft arall o'r fath ddarpariaeth ynglŷn ag estroniaid ymhlith holl gyfreithiau Ewrop. Y mae un ohonynt yn hannu o Iwerddon, gan godi'r cwestiwn a oedd hwnnw yn ddylanwad ar y Cymry yntau ai cyfreithiau'r Cymry drwy genhadaeth y seintiau Cymreig oedd yn ddylanwad ar y Gwyddelod?[23]

Y mae'r enghraifft arall yr un mor ddiddorol os nad yn fwy diddorol byth. Y mae'r cyfreithiau eraill sydd yn delio ag estroniaid mewn modd yr un mor hael â'r Cymry yn hannu o Fwrgwyn yn Ffrainc, ac y maent i'w canfod ymhlith cyfreithiau'r brenin Gundobad tua diwedd y bumed ganrif, y *lex Burgundionum*. Y mae'r achos yma mor ddiddorol oherwydd yn oes Gundobad a thrwy'r bumed ganrif, yr oedd brenhiniaeth Bwrgwyn yn estyn i'r Gogledd mor bell â dinas Auxerre, y ddinas y daeth Garmon Sant ohoni i Brydain hanner can mlynedd yn gynharach er mwyn gwrthwynebu heresi Pelagius. Y mae'r cysylltiad felly yn un hynod o ddiddorol.[24]

Nid dim ond yn ei thriniaeth o estroniaid y mae hen gyfreithiau Cymru efallai yn dangos dylanwad yr Ysgrythur ar eu cynnwys. Y mae yna enghraifft bwerus arall, sef y rheol nad oedd Cymro i gymryd dilledyn ei gymrodor fel gwystl. Y mae'r hen gyfreithiau yn mynnu na ddylid cymryd dilledyn olaf dyn fel gwystl i ffoddhau neu dalu dyled.[25]

Y mae Exodus a Deuteronomium yn pwysleisio'r un neges, gydag Exodus yn dweud:

> Os cymeri ddilledyn dy gymydog yn wystl, yr wyt i'w roi'n ôl iddo cyn machlud haul, oherwydd dyna'r unig orchudd sydd ganddo, a dyna'r wisg sydd am ei gorff; beth arall sydd ganddo i gysgu ynddo? Os bydd yn galw arnaf i, fe wrandawaf arno am fy mod yn drugarog.
>
> Exodus 22. 26-27

a Deuteronomium:

> Os yw'n ddyn tlawd, paid â chysgu yn ei ddilledyn a roddodd yn wystl; gofala ei roi'n ôl iddo cyn machlud haul, er mwyn iddo gysgu yn ei fantell a'th fendithio. Cyfrifir hyn iti'n gyfiawnder gerbron yr Arglwydd dy Dduw.
>
> Deuteronomium 24. 12-13

Y mae Deuteronomium yn cysylltu'r rheol hefyd gyda gofal dros ddieithriaid gan ddweud:

> Nid wyt i wyro barn yn achos dieithryn nac amddifad, nac i gymryd dilledyn y weddw fel gwystl. Cofia mai caethwas fuost yn yr Aifft, ac i'r Arglwydd dy Dduw dy waredu oddi yno; dyna pam yr wyf yn gorchymyn iti wneud hyn.
>
> Deuteronomium 24. 17-18

Eto, fel yr oedd llyfr Josua yn cofnodi sut yr oedd pobl Israel yn ufuddhau i'r rheol ynglŷn â dieithriaid, y mae'r proffwyd Amos yn cyhuddo Israel am fethu ufuddhau i'r gorchymyn ynglŷn ag adfer dillad gwystl:

> Am dri o droseddau Israel, ac am bedwar, ni throf y gosb yn ôl ...
> Am eu bod yn gorwedd ar ddillad gwystl yn ymyl pob allor ...
>
> Amos 2. 6, 8

Unwaith eto, y mae'r tebygrwydd mor glir ei fod yn cadarnhau'r achos dros ymgymryd â mwy o ymchwil ynglŷn â dylanwad yr Ysgrythur ar hen gyfreithiau cenedl y Cymry.

Yr oedd cyfraith Cymru hefyd yn cymryd gofal o blant mewn modd nad oedd yn wir am y rhan fwyaf o gyfundrefnau cyfreithiol ar y pryd ac am gyfnod hir wedyn. Yn yr achos yma, yr oedd cyfreithiau'r genedl yn gwrthsefyll hyd yn oed dylanwad, perswâd a grym yr Eglwys. Nid oedd cyfraith Cymru mewn gwirionedd yn gwahaniaethu rhwng plant a anwyd mewn priodas a phlant gordderch. Os oedd plentyn wedi cael ei dadogi gan deulu, oedd hynny'n ddigon i sicrhau ei le yn y teulu hwnnw.Yn achos bachgen, yr oedd hyn yn golygu bod yr un hawliau ganddo i etifeddu eiddo'r teulu ag a oedd gan ei frodyr a anwyd i wraig ei dad.[26]

Yr oedd hyn yn gwbl groes i agwedd y gyfraith ganon ynglŷn â statws plant er bod yr Eglwys, gan ddilyn esiampl cyfraith Rufain, yn derbyn bod plant a anwyd tu allan i briodas yn gallu cael eu cyfreithuso trwy briodas ddiweddarach eu rhieni, *legitimatio per subsequens matrimonium.*[27] Ddiddorol iawn yw'r ffaith mai, er bod yr Eglwys eisiau i blant gael eu cyfreithuso yn y sefyllfa hon, nad oedd cyfraith Lloegr yn fodlon derbyn rheol yr Eglwys. Mewn penderfyniad enwog iawn yn y flwyddyn 1236, gwrthododd uchelwyr Lloegr newid eu hagwedd at statws plant gordderch gan ddweud nad oeddent eisiau newid cyfraith Lloegr, *nolumus mutare leges Angliae.* O ganlyniad, er bod rheol yr Eglwys yn bodoli yn y rhan fwyaf o wledydd Cred o'r canol oesoedd ymlaen, ni chafodd cyfreithuso trwy briodas diweddarach ei dderbyn yng nghyfraith gwlad Lloegr tan 1926, lai na chanrif yn ôl.[28] Felly, yn yr ynysoedd hyn drwy'r canol oesoedd hyd at y Deddfau Uno yn yr unfed ganrif ar bymtheg, yr oedd rheolau ceidwadol iawn ynglŷn â statws plant gordderch yn bodoli yn Lloegr ochr yn ochr â rheolau rhyddfrydig iawn drws nesaf yma yng Nghymru, rheolau oedd yn parchu anghenion plant yn fwy na hawliau oedolion a theuluoedd i reoli eu hetifeddiaeth. Hyd yn oed ar ôl i Gyfraith gwlad Lloegr gael ei hymestyn i Gymru yn yr unfed ganrif ar bymtheg, parhaodd yr agwedd ryddfrydig hon mewn bod yn y gymdeithas Gymreig gyda phlant gordderch yn cael eu derbyn mewn teulu os oedd eu tad-cu a'u mam-gu yn fodlon eu meithrin fel plant iddynt hwy.[29]

Y mae'r agwedd yma o ofal am blant neu bobl ifanc yn ymddangos hefyd yn y modd yr oedd rheolau'r Eglwys, yn seiliedig ar gyfraith Rufain, ynglŷn ag oedran priodas yn cael eu dehongli yma yng Nghymru. Yn ôl rheolau'r Eglwys, yr oedd yn agored i fachgen briodi unwaith yr oedd wedi cyrraedd pedair blwydd ar ddeg oed ac i ferch briodi unwaith yr oedd hi'n ddeuddeng mlwydd oed. Dyma oedd yr oedrannau a ddefnyddiwyd yng Nghyfraith Rhufain ac, o dan ddylanwad yr Eglwys, dyma'r oedrannau oedd yn cael eu defnyddio ledled Gwledydd Cred.[30] Yn ddiweddarach, newidiodd yr Eglwys yr oedrannau i 16 ar gyfer bechgyn a 14 ar gyfer merched,[31] ond lawer cyn hynny, yr oedd cyfreithiau Cymru, er eu bod yn derbyn yr oedrannau clasurol o 14 i fechgyn a 12 i ferched yn argymell na ddylai merched a oedd wedi priodi yn ddeuddeng mlwydd oed esgor ar blant cyn cyrraedd 14 oed.[32] Y mae yna thema glir yn y cyfreithiau sydd yn gofalu am les plant a phobl ifanc.

Ac yma efallai yr ydym yn cyrraedd un o'r pethau mwyaf diddorol ynglŷn â'r cysylltiad rhwng hen gyfreithiau brodorol y Cymry a chyfreithiau cyfoes y Cynulliad. Y mae'n amlwg fod lles plant a phobl ddifreintiedig yn beth pwysig i'r Cymry yn oes y tywysogion. Nid yn unig roedd rheolau yn gofalu amdanynt ymhlith y cyfreithiau, ond yr oedd y gyfundrefn gyfreithiol yn gwrthod newid ei hagwedd tuag atynt hyd yn oed i gydymffurfio â threfn yr Eglwys. Os symudwn ein golygon oddi wrth Gyfraith Hywel at gyfreithiau'r Cynulliad, beth a ganfyddwn? Mai testun y Gorchmynion Cymhwysedd Deddfwriaethol (yr LCOs) cyntaf o dan bwerau newydd y Cynulliad i ofyn am bwerau o San Steffan oedd pwerau i ddeddfu ynglŷn â phlant gydag anawsterau dysgu neu anabledd;[33] gofal am yr henoed yn eu cartrefi;[34] gofal am blant hawdd i'w niweidio;[35] diogelu'r amgylchedd,[36] a thai y gall pobl eu fforddio.[37] Gallwn weld efallai hyd yn oed gysylltiad rhwng yr olaf a'r modd yr oedd yr hen gyfreithiau yn parchu a diogelu meddiant adeiladwr *tŷ un nos*.[38] Bellach, testun y Mesurau cyntaf i'w cyflwyno gan Lywodraeth Cymru yw gwneud iawn am gamweddau'r Gwasanaeth Iechyd Gwladol, sut y mae plant yn cael eu cludo i'r ysgol a sut i drefnu addysg a sgiliau ar gyfer pobl ifanc.[39] Er bod gan y Cynulliad awdurdod i ddeddfu neu i ofyn am bwerau i ddeddfu mewn meysydd eraill, yn ymwneud â'r economi er enghraifft, lles y cyhoedd, ac yn enwedig lles plant a phobl mewn amryw anghenion sydd wedi cael eu dewis i fod yn destun cyfreithiau cyntaf y genedl yn yr oes bresennol. Hefyd, os ydych yn edrych ar yr LCOs a'r mesurau y mae aelodau'r Cynulliad wedi eu hawgrymu ar ôl ennill y cyfle i wneud hynny yn y bleidlais a gynhelir gan y Llywydd bob deufis, mae'r un patrwm i'w weld – gofal am gleifion meddyliol, iechyd ein plant, gofal am yr henoed.[40] Y mae'r tebygrwydd rhwng diddordebau ein cyndadau a diddordebau'r oes bresennol yn anodd ei ddiystyru.

Ac os oes yna debygrwydd rhwng diddordebau ein cyndadau a diddordebau'r oes bresennol sydd yn anodd ei ddiystyru, y mae hynny'n gadael cwestiwn sydd angen ateb, sef : paham y mae yna debygrwydd o'r fath? Beth yn ein hanes fel cenedl sydd wedi rhoi sail mor gadarn ac mor hirymaros i'n diddordebau, i'n diwylliant â'n cyfreithiau? Beth yw sail y gwerthoedd cadarn a hirymaros hyn? Ac y mae'r cwestiwn yna, sydd yn haeddu ateb, yn ein hanfon yn ôl at un o'r cwestiynau cyntaf a ofynnais heddiw – pa ddylanwadau sydd wedi effeithio ar ein datblygiad fel cenedl ac fel deddfwyr? Heb os, un o'r dylanwadau cryfaf dros y canrifoedd yw ffydd Gristnogol y genedl, sydd gyda'r iaith a gadwodd yn fyw, yn clymu diddordebau, gwerthoedd a chyfreithiau'r oesoedd a fu a rhai'r oes bresennol, er ei bod yn ymddangos yn oes seciwlar i bob golwg arwynebol. Yr ydym fel cenedl yn cydnabod pwysigrwydd y ffydd yn hanes ein hiaith a'i goroesiad. Y mae'n bwysig hefyd darganfod a chydnabod rhan y ffydd fel sail ein hunaniaeth gyfreithiol.

Nodiadau

1 Darlith Flynyddol Fforwm Hanes Cymru 2008 a draddodwyd ddydd Llun, 4 Awst 2008 yn Eisteddfod Genedlaethol Caerdydd a'r Fro.

2 Gw. Thomas Glyn Watkin, *The Legal History of Wales* (Caerdydd, 2007), t.101

3 Watkin, *Legal History of Wales*, tt. 12–13, 14, 17.

4 Gw. Government of Wales Act 2006.

5 Dafydd Jenkins, *Cyfraith Hywel* (Llandysul, 1976), tt. 14, 94.

6 Gw. The NHS Redress Act 2006.

7 Gw., e.e, Tacitus, *Annales*, 14.

8 T.P. Ellis, *Welsh Tribal Law and Custom* (Rhydychen, 1926; ail-gyhoeddwyd Aalen, 1976).

9 R.W. Lee, *Elements of Roman Law*, 4ydd arg. (Llundain, 1956) tt. 290–297; Watkin, *Legal History of Wales*, t. 64.

10 *Coggs* v *Barnard* (1703) 2 Ld. Raymond 909, pan ddywedodd Prif Ustus Holt: 'there are six sorts of bailments', gan fynd ymlaen i'w henwu a'u disgrifio yn ôl termau'r gyfraith sifil, h.y., *Depositum, Commodatum, Locatio rei, Vadium, Locatio operis faciendi* a *Mandatum*.

11 Watkin, *Legal History of Wales*, tt. 61–62.

12 S.J. Williams and J.E. Powell, *Llyfr Blegywryd* (Caerdydd, 1961). Y mae testunau Cyfraith Hywel i'w gweld yn H.D. Emanuel, *The Latin Texts of the Welsh Laws* (Caerdydd, 1967); I.F. Fletcher, *Latin Redaction A* (Aberystwyth, 1986); D. Jenkins, (gol.), *Llyfr Colan* (Caerdydd, 1963); D. Jenkins, *Damweiniau Colan* (Aberystwyth, 1973); A.R. Wiliam, *Llyfr Iorwerth* (Caerdydd, 1960); ac A.W. Wade Evans, *Welsh Medieval Law* (Rhydychen, 1909; Aalen, 1979), yr olaf yn seiliedig ar *Llyfr Cyfnerth*. Y cyfieithiad cyfoes gorau o'r cyfreithiau yw D. Jenkins (cyf. a gol.), *Hywel Dda: The Law* (Llandysul, 1986).

13 Watkin, *Legal History of Wales*, tt. 87–88.

[14] Gw., Dafydd Jenkins a Morfydd E. Owen, 'The Welsh Marginalia in the Lichfield Gospels' [1983] 5 *Cambridge Medieval Celtic Studies* 37–66; [1984] 7 *Cambridge Medieval Celtic Studies* 91–120.

[15] J.N. Sandars, 'The Literature and Canon of the New Testament' yn M. Black (gol), *Peake's Commentary on the Bible* (Wokingham, 1962), 676 ar dudalennau 679–682.

[16] Gw., C.A.H. Green, *The Setting of the Constitution of the Church in Wales* (Llundain, 1937), tt. 8–9.

[17] Gw., Syr William Holdsworth, *A History of English Law* 16 cyf. (Llundain, 1922–1966) I 45–46; F. Pollock a F.W. Maitland, *A History of English Law* 2 gyf., gyda rhagymadrodd gan S.F.C. Milsom, (Caergrawnt, 1968), I 468–475.

[18] Pan ddiddymwyd *reprisal* yn Lloegr gan y brenin Edward I trwy Statud I Westminstr.

[19] Holdsworth, V 73–74; Pollock a Maitland, I 458–467.

[20] Watkin, *Legal History of Wales*, tt. 53.

[21] Lee, *Elements*, 36–39; Watkin, *An Historical Introduction to Modern Civil Law* (Llundain, 1999), tt. 24–25, 36, 157–158.

[22] Watkin, *Legal History of Wales*, t. 53.

[23] Watkin, *Legal History of Wales*, tt. 39–40.

[24] Watkin, *Legal History of Wales*, tt. 9–10, 53. Gw., hefyd C.J. Smith, 'St. German of Auxerre' yn M.Warner a A.C. Hooper (gol), *The History of Roath St. German's* (Caerdydd, 1934); Howard Huws, *Buchedd Garmon Sant* (Llanrwst, 2008).

[25] Watkin, *Legal History of Wales*, t. 65.

[26] Watkin, *Legal History of Wales*, tt. 57, 84.

[27] Pollock a Maitland, I t. 127; II tt. 397–398.

[28] Age of Marriage Act 1929.

[29] Watkin, *Legal History of Wales*, t. 179.

[30] Pollock a Maitland, II t. 390; Lee, *Elements*, tt. 63–64.

[31] *Codex iuris canonici*, canon 1067.

[32] Watkin, *Legal History of Wales*, t. 56; *Llyfr Iorwerth*, t. 99; Jenkins, *The Law*, t. 132.

[33] *The National Assembly for Wales (Legislative Competence) (Education and Training) Order 2008.*

[34] *The National Assembly for Wales (Legislative Competence) (Social Welfare) Order 2008.*

[35] *The National Assembly for Wales (Legislative Competence) (Social Welfare and Other Fields) Order 2008.*

[36] *The Proposed National Assembly for Wales (Legislative Competence) (No.2) Order 2007.*

[37] The Proposed National Assembly for Wales (Legislative Competence) (No.5) Order 2008.

[38] Watkin, *Legal History of Wales*, t. 179.

[39] Mesur Gwneud Iawn am Gamweddau'r GIG (Cymru) 2008, Mesur Teithio gan Ddysgwyr (Cymru) 2008 a Mesur Arfaethedig ynghylch Dysgu a Sgiliau (Cymru).

[40] The Proposed National Assembly for Wales (Legislative Competence) (No.6) Order 2007.

Ciperiaid, Ffesants, Potsiars a Pholotics
Stad y Rhiwlas, Y Bala: 1859 – 1880 *

Einion Wyn Thomas, Archifdy Prifysgol Bangor

Doedd dydd Gwener 23 Medi 1892 ddim yn un o'r dyddiau mwyaf llewyrchus yn hanes addysgiadol ysgol Capel Celyn. Wedi dychwelyd o'i ginio canfu'r prifathro fod y bechgyn hynaf ar wahân i un wedi diflannu. Yn llyfr log yr ysgol noda'r rheswm dros y diflaniad rhyfeddol yma

> *Mr Price of Rhiwlas gamekeepers called at dinner time and induced the bigger boys to go with them to drive the game on the mountain.*[1]

Doedd ddim pwrpas mewn cwyno gan fod rhan fwyaf o ffermydd y cwm yn perthyn i'r stad – gallai'r ciperiaid gymryd y plant o'r ysgol gan wybod na fyddai neb yn meiddio dweud dim. Does yna chwaith 'run gair yn y llyfr log fod y bechgyn wedi eu disgyblu am chwarae triwant.

Yr hyn mae'r stori yma yn ei ddangos yw maint y dylanwad a'r pŵer oedd gan y stadau dros fywydau pobol – dylanwad na allwn ni heddiw ei lawn amgyffred – sef rhyw gymysgedd o ofn a pharch.

* * *

Ymgais yw'r ddarlith hon i astudio sut y bu i un o stadau mwyaf Meirionnydd, sef Y Rhiwlas ger Y Bala, droi o fod yn stad amaethyddol bur effeithiol i fod yn beth a elwid yn *'sporting estate'*, a'r effaith a gafodd hyn ar fywydau'r tenantiaid a beth fyddai eu hymateb hwy i'r newidiadau yma?

Plwyfol yn llythrennol yw'r astudiaeth hon, wedi ei chyfyngu i un plwy, sef Llanfor, ac i gyfyngu pethau ymhellach dim ond rhyw gyfnod o ugain mlynedd rwyf am edrych arno, sef o tua 1859 i 1880. Dyma'r cyfnod yr oedd y stad yn datblygu fel stad helwriaeth a dyma hefyd un o'r cyfnodau mwyaf cynhyrfus yn hanes gwleidyddol Cymru, yn enwedig ym Meirionnydd. Mae yma newidiadau mawr yn digwydd, gyda'r dosbarth canol Rhyddfrydol Anghydffurfiol yn mynd ati o ddifrif i geisio torri grym y landlordiaid oedd gan amlaf yn Doriaidd ac yn Anglicaniaid. Roedd y frwydr ar y cyfan yn ddigon heddychlon a chyfansoddiadol gyda gweinidogion Anghydffurfiol megis Michael D Jones yn arwain y gad. Ynghlwm wrth hyn roedd yna wasg Ryddfrydol ei natur wedi ymddangos, gyda'r enwocaf yn y gogledd, Baner ac Amserau Cymru o dan olygyddiaeth Thomas Gee.

Canolbwynt yr ymrafael gwleidyddol yma ym Meirion oedd tref ac ardal y Bala lle'r oedd y stad wedi ei lleoli. Yng ngolwg llawer, Bala oedd dinas yr Addewid – Meca'r Methodistiaid – ond i eraill megis golygydd *Y Cymro*, papur Anglicanaidd, roedd hi yn llai nefolaidd ei naws, 'Yr hyn ydyw Rhufain i'r Eidal ydyw Bala i Ogledd Cymru. Dyma fam y drwg; dyma'r *city of destruction* . . . Dyma le yr heuir hadau gwenwynig Ymneilltuaeth a Gwerinlywodraeth'.[2]

Ond, os mai yng ngholofnau'r papurau newydd yr ymladdwyd y frwydr yma eto i gyd roedd yna ochor arall a oedd yn llai heddychlon ac yn fwy treisgar, ac ar stad y Rhiwlas fe welid potsio yn cael ei ddefnyddio fel arf nid yn unig fel adwaith yn erbyn pwyslais y stad ar fagu gêm *(game)* ond hefyd fel bygythiad yn erbyn y meistr tir rhag rhoi pwysau gwleidyddol ar y tenantiaid adeg etholiad. Dyma felly'r cefndir a hefyd maes y frwydr.

Mae yna ddigon o dystiolaeth ar gael yn nodi effaith y gêm ar y stad – y brif ffynhonnell ac i bob pwrpas y gorau yw'r dystiolaeth a glywyd gan y Comisiwn Tir ym 1893. Yn ystod misoedd Medi a Hydref y flwyddyn honno bu'r Comisiwn yn y Bala yn holi tystion. Ar wahân i gwynion am y rhent y gŵyn arall gan y tenantiaid oedd y difrod a

Y Rhiwlas fel yr oedd yn nyddiau R.J. Lloyd Price. Dymchwelwyd ef yn nechrau pumdegau'r ganrif ddiwethaf ac adeiladwyd y tŷ presennol yn ei le i gynllun gan Clough Williams-Ellis.

R.J. Lloyd Price yr arch heliwr.

achosid i'w ffermydd gan y gêm. Fe geir enghraifft ar ôl enghraifft.

Yn ôl tystiolaeth John Jones, Ty'n Celyn, fferm oddeutu 92 acer, *'A cause of loss to the Rhiwlas tenants is the way in which pheasants are scattered through the woods on the estate . . . From there they get over the cornfields and potato fields and cause considerable damage'.*[3] Roedd y tenant o'i flaen wedi cael ei ddifetha gan y gêm ac wedi gadael y fferm gyda dyled o £80 i'r landlord, dyled a dalwyd gan John Jones ei hun. Cwyna hefyd at haerllugrwydd y ciperiaid tuag at y tenantiaid ac fel y collid cŵn a chathod oherwydd y trapiau a osodid gan y ciperiaid. Un canlyniad i golli cathod oedd bod yna fwy o lygod mawr o gwmpas. Dywedodd Dafydd Roberts, tenant arall,

> *In 1866 I took a farm called Llannerch Eryr in the parish of Llandderfel on the Rhiwlas estate . . . My father in law was the previous tenant to me, and he was ruined in consequence of the number of rabbits. It was with difficulty that I could produce on my farm sufficient to keep four cows, four calves, and two horses.*[4]

Roedd Llannerch Eryr yn fferm o 138 acer ac yn cael ei chydnabod fel un o'r ffermydd gorau yn y gymdogaeth am godi ŷd. Er hyn, noda Dafydd Roberts mor isel oedd y cynnyrch ac fel y bu iddo unwaith golli chwe acer o ŷd oherwydd y cwningod. Am y golled hon cafodd £12 fel iawndal gan y stad. Eto i gyd, er y taliadau iawndal, dywed iddo golli oddeutu £200 tra yn denant oherwydd y gêm. Ceir syniad o faint trafferthion Dafydd Roberts pan sonnir fod wyth saethwr ar 11 Hydref, 1883 wedi saethu tros fil o gwningod ar yr hyn a elwid erbyn hynny yn Llannerch Eryr *'beat'*, roedd y fferm wedi ei throi yn warin enfawr.

Yn ychwanegol at ei gwynion ei hun sonia Dafydd Roberts hefyd am drafferthion Elizabeth Jones, Refail Isaf,[5] tyddyn bychan oddeutu 15 acer. Saethwyd ci a berthynai iddi gan gipar – digwyddiad digon cyffredin yn ôl tystiolaeth y tenantiaid. Yn dilyn y digwyddiad yma, aeth Elizabeth Jones i gyfraith a chael iawndal o £5. Ymateb y stad oedd rhoi notis iddi wedi ei ohirio am flwyddyn tra

Bendigo y ceffyl rasus enwog a glodforir ym mynwent Eglwys Llanfor.

R.J. Lloyd Price yr arch heliwr.

codwyd rhent y tyddyn o £5. Dyna chi weithred ddialgar ond eto yn enghraifft wych o'r modd yr oedd y stad yn cael ei rhedeg – doedd neb yn mynd i gael y llaw uchaf ar Price.

Yn ôl Tom Ellis yr Aelod Seneddol lleol, un a aned ac a fagwyd ar y stad, bu bron i'w dad golli'r Cynlas ym 1867 am i'r gwas adael i ddau gi redeg ar ôl sgwarnog; y diwedd fu saethu'r ddau gi a chodi rhent y fferm.[6] Roedd Thomas Davies y Fedw Lwyd yn hollol ddi-flewyn ar dafod wrth ateb cwestiwn ynglŷn â chwynion am y gormodedd o gêm ar y stad, *'Yes, very great complaints on the Rhiwlas Estate, exceptional complaints in fact'.*[7] Yn yr adroddiad, nodir fod bonllefau o gymeradwyaeth wedi eu rhoi pan orffennodd Thomas Davies roi ei dystiolaeth.

Roedd yna densiynau felly ar y stad rhwng y tenantiaid a'r tirfeddiannwr a hynny i raddau mawr oherwydd y gêm, ond pan ofynnwyd i Price gan un o'r Comisiynwyr os oedd hyn yn wir, ei ateb oedd bod telerau da wedi bodoli rhyngddo ef a'i denantiaid erioed.[8] Doedd hyn ddim yn hollol wir.

Yr oedd rhwygiadau wedi dechrau ymddangos yn 1859 ac Etholiad Cyffredinol y flwyddyn honno. Cyn hynny, roedd pethau wedi bod yn weddol heddychlon. Edrychid ar Richard Watkin Price, taid R.J.Lloyd Price, fel landlord cydwybodol ac amaethwr da. Roedd yn un o'r rhai a fu yn gyfrifol am sefydlu'r Gymdeithas Amaethyddol gyntaf yn y Sir yn 1801. Adlewyrchir hyn yn nhystiolaeth Tom Ellis, tad yr Aelod Seneddol, lle y cymhara stad Glanllyn i stad y Rhiwlas yn nyddiau Richard Watkin Price, *'the idea was that agriculture was pretty backward on Sir Watkin's estate. With regard to the Rhiwlas estate the idea was different; that Mr Price was one of those who best understood how to cultivate the land in this country'.*[9] Roedd hon yn cael ei gweld fel stad dda i fod yn denant arni, bron na welir elfen o snobyddiaeth yma, edrychai tenantiaid y Rhiwlas arnynt eu hunain ychydig yn uwch na thenantiaid stadau eraill.

Yn ystod hanner cyntaf y bedwaredd ganrif ar bymtheg roedd y stad wedi ehangu o 9,000 o aceri i dros 15,000 o aceri. Rhwng 1828 ac 1859, roedd Richard Watkin Price wedi prynu 54 o ffermydd o amgylch y Bala gan ganolbwyntio ar blwy Llanfor. Talodd yn agos i £103,000 am y ffermydd hyn gan forgeisio ei hun yn drwm. Yn 1832 ac 1836 daeth holl diroedd stad Rhiwaedog i'r de o'r afon Ddyfrdwy i'w ddwylo ar gost o £21,900. Erbyn i'w nai R.J.Lloyd Price etifeddu'r stad yn 1860, roedd rhan fwyaf o blwy Llanfor yn perthyn i Rhiwlas.[10]

Er yr holl diroedd, problem barhaol y stad oedd diffyg arian sychion ac fe geir enghreifftiau diddorol o sut y ceisiodd aelodau o'r teulu oresgyn hyn – yr enghraifft fwyaf rhyfeddol pan roddodd R.J.Lloyd Price swm sylweddol, myn rhai ei fod wedi rhoi hanner y stad, ar geffyl o'r enw *Bendigo,* ceffyl enwog yn ei ddydd, a oedd yn rhedeg yn y Kempton Jubilee Stakes ym 1887. Enillodd Bendigo, ac i ddiolch am hyn adeiladodd Price gladdfa i'r teulu ym mynwent Eglwys Llanfor, gan gerfio uwchben y drws:

As to my latter end I go,
To seek my Jubilee
I bless the good horse Bendigo
Who built this tomb for me.[11]

Etholiad 1859

Ond fel y nodwyd eisoes mi roedd y berthynas rhwng meistr a thenant wedi suro, a hynny o ganlyniad i etholiad 1859.[12] Er iddynt gael addewid gan Price ar y dechrau y gallent atal eu pleidlais, teimlai'r tenantiaid fel deuai diwrnod yr etholiad yn nes bod mwy o bwysau arnynt i roi eu pleidlais i'r Tori – dyma'r Sgriw enwog. Pum diwrnod cyn yr etholiad galwyd hwy bob yn un i ystafell yn nhafarn y Bull, yn y Bala, lle dywedwyd yn ddigon plaen wrthynt beth fyddai'r canlyniad o beidio pleidleisio yn ôl dymuniad y landlord. Yn ôl John Jones, Maesgadfa, un o'r rhai a alwyd y diwrnod hwnnw i'r Bull, gofynodd Price iddo yn gyntaf i bwy roedd yn mynd i roi ei bleidlais, '*My reply was that I was not going to vote for anybody. I could not conscientiously vote for Mr Wynne, and I did not like to vote for anybody else, lest that should be against Mr Price's wish. Mr Price's answer was, that everybody voted with his landlord*'.[13]

Er y bygythiadau, atal eu pleidlais wnaeth 21 o denantiaid y Rhiwlas tra pleidleisiodd dau i David Williams ac 11 i Wynne. Roedd ymateb y stad yn greulon o sydyn, dyma'r *'thrill of horror'*[14] y sonia Tom Ellis amdano. Allan o'r un ar hugain a ataliodd eu pleidlais fe daflwyd pump allan o'u ffermydd a chodi rhent y gweddill. Rhwng y sgriw a'r taflu allan roedd Price a'r landlordiaid eraill yn teimlo eu bod wedi torri crib y tenantiaid. Ac roedd ganddynt le da i gredu hynny. Adeg Etholiad 1865 ni fu dim gwrthryfel, pleidleisiodd pawb yn ôl dymuniad y tirfeddianwyr. Yn ôl *Y Faner* roedd yna ddrwgdeimlad am yr hyn oedd yn mynd ymlaen, gydag etholwyr Penllyn yn cael eu gweld yn fawr gwell na chaethweision. Yr un oedd byrdwn cerdd ddychanol a ysgrifennwyd ar y pryd yn dwyn y teitl, *'Squire and the Screw'*

Remember Holey Michael
To bring the niggers all
With chains around their conscience
Driven to the poll
Buckle up the niggers
Don't let them think or say
A word against their Massa
Upon the polling day.[15]

Meddai Tom Ellis yr hynaf, wrth y Comisiwn Tir dros ddeng mlynedd ar hugain ar ôl yr ymrafael, *'the eviction created a breach, a gulf between landlord and tenant. Neither the Ballot Act nor time has healed that breach'*.[16]

Yn dilyn marwolaeth Richard Watkin Price ym mis Mehefin 1860, ac yng nghanol y diffyg ymddiriedaeth a drwgdeimlad ar y ddwy ochor, daeth y stad i ddwylo ei nai Richard John Lloyd Price. Yn ddyn ifanc wedi ei addysgu yn Eton a Rhydychen gyda'r agwedd drahaus yr oedd y sefydliadau yma yn dueddol o'u creu mewn person, roedd R J Lloyd Price â'i fryd ar newid pethau, a hynny ar garlam. Yn wahanol hefyd i'w daid, prin iawn oedd ei wybodaeth o'r Gymraeg tra roedd ei denantiaid yn bennaf yn uniaith Gymraeg.

Ei fwriad oedd troi'r Rhiwlas yn un o'r stadau helwriaeth gorau nid yn unig yng Nghymru ond ym Mhrydain. Yn ei lyfr *Walks in Wales*[17] mae'n dadlau pam fod rhaid mynd i'r Alban i saethu a physgota pan fod Cymru yn agosach ac yn llai drud. Mae ei apêl i'r dosbarth o ddiwydianwyr Seisnig oedd ag arian ac amser i sbario. Yn ystod y cyfnod yma doedd sefydlu stadau helwriaeth ddim yn beth newydd, ond yr hyn sy'n anghyffredin yn hanes y Rhiwlas yw'r fath afiaith a brwdfrydedd yr ymgymerodd Price â'r gwaith. Fel y nododd Tom Ellis, *'the whole paraphernalia of game preserving was set up – a hierarchy of gamekeepers, strict sporting clauses in agreements, coverts, rabbit- warrens, pheasantries, the killing of dogs and cats, the pursuit of poachers, and the confiscation of their guns and nets'.*[18]

Ni ellid cadw mwy na dau gi, ni chaniateid i neb gael saethu heb ganiatâd y landlord – ac ni ddylai'r gêm gael ei aflonyddu mewn unrhyw fodd. Ar yr Arennig Fach, ni chaniateid i denant hel ei ddefaid ei hun ond drwy ganiatâd y cipar yn yr ardal honno, ac wedyn dim ond cŵn a bugail Rhiwlas a ellid eu defnyddio i'w hel. I'r tenantiaid, roedd y mân reolau hyn yn fwrn ac yn effeithio ar y modd yr oeddynt yn amaethu.

Plannwyd dros 600 erw o goedlannau fel lloches i'r ffesant yma ac acw ar y stad. Crëwyd tair warin cwningod enfawr, y mwyaf, warin Eglwys Ann yn ardal Cwmtirmynach yn mesur 350 o erwau – y tir yma wedi ei gymryd o dair fferm gyfagos a gafodd ostyngiad yn eu rhent o 2s yr acer am y golled. Mewn llythyr i'w asiant, gobaith Price oedd y gellid gwneud hyn heb orfod bygwth unrhyw un o'r tenantiaid gyda rhybudd i ymadael.[19] Roedd y tir yn ddigon gwael, ac yn ôl Price, gellid cael proffid gwell wrth fagu cwningod arno yn lle defaid – roedd yn amcangyfrif ryw 10s. – 18s. yr acer gyda chwningod, a dim ond 2s 6d yr acer gyda defaid. Ymhen ychydig amser roedd miloedd o gwningod yno. Ar Hydref 7, 1885 saethwyd dros bum mil o gwningod ar y warin yma gan ddeg saethwr.

Sefydlwyd yn ogystal ddwy fagwrfa ffesants, un ger y Rhiwlas a'r llall yn is i lawr y dyffryn ger Brynbanon. Cymaint oedd eu maint fel eu bod yn cael eu nodi ar fapiau O.S. y cyfnod. Magwyd y ffesants yma cyn eu gollwng yn y coedlannau ar y stad neu eu gwerthu i stadau eraill. Yn ogystal, magwyd ffesants mewn cutiau wedi eu gosod yma ac acw ar ffermydd y stad. Y syniad oedd y byddai'r adar yma yn cynefino ac yn cadw at eu tiriogaeth. I'r ffermwyr, roedd y cutiau yma yn creu trafferthion ac yn amharu ar waith y fferm, yn enwedig adeg y cynhaeaf, gyda'r adar yn bwyta'r cnydau. Ceid enghreifftiau hefyd o gŵn yn eu hanos, neu mewn un achos, plant y tenant yn taflu cerrig atynt, byddai hyn oll yn sicr o godi gwrychyn y ciperiaid a chreu drwgdeimlad.

I fwydo'r holl ffesants yma cynhyrchwyd bwyd arbennig iddynt, *The Rhiwlas Game Meal,* a werthid am £1 y can pwys. Nid nepell o fwthyn y pen cipar adeiladwyd warws enfawr ynghyd ag ystafell oer lle y gellid storio bocseidiau o gwningod a ffesants cyn eu hanfon gyda'r trên i wahanol werthwyr yn Lloegr. Adeiladwyd cutiau i gadw cŵn hela a phan fyddai'r amser yn dod iddynt fynd i'r *kennel* mawr uchod, roedd yna fynwent iddynt. Fe welir y cerrig coffa hyd heddiw megis, *'here lies Comedy, accidentally shot by her devoted and heart-broken master, October 2 1877'*.[20]

Hysbysebwyd y stad yn y cylchgronau hynny oedd yn ymwneud â hela, megis *The Field, Sporting Times a'r Morning Post.* Roedd yna hefyd hysbysebion enfawr ar ochor y rheilffordd ger y Bala yn hysbysu'r trafeiliwr o ragoriaethau'r stad. Roedd hyn yn un o'r hawliau a gafodd Price am adael i'r rheilffordd gael ei hadeiladu drwy ei dir. Un arall oedd, os delid unrhyw un o weithwyr y rheilffordd yn potsio yna mi fyddai yn cael ei ddiswyddo ar unwaith.

I'r rhai hynny a fyddai'n penderfynu mynd i saethu ar y stad, yna gallent ddisgwyl talu ar gyfartaledd rhyw £250 i £300 y tymor, er enghraifft roedd yr hyn a elwid yn *Rhiwlas Home Beat* yn mesur 3,000 o aceri ac yn cael ei gosod am £300 y tymor gyda'r landlord yn talu am ddau gipar yn ogystal â'r trethi. Roedd yna 5 saethfeydd mynydd am rugieir, er enghraifft, roedd yna 6,000 o aceri yn perthyn i saethfa Arennig Bach, fwy na thebyg mai ar hon aeth bechgyn ysgol Capel Celyn i gynorthwyo fel curwyr yn 1892. Gosodwyd y saethfeydd hyn ar brydles pum mlynedd gyda rhent o £250 y flwyddyn. Yn ardal Rhosygwaliau, aeth hen blasty hynafol Rhiwaedog yn *Rhiwaedog Sporting Hotel* lle y gellid mwynhau pysgota ar yr afon Hirnant a saethu ar y Berwyn. Un amod yn y brydles saethu oedd y dylid hysbysu'r stad o unrhyw botsio oedd yn mynd ymlaen ac os caed erlyniad llwyddiannus fod y cipar yn cael deg swllt o wobr. Amod arall oedd na fyddai'r tenant yn rhoi hawl i saethu i neb a oedd yn byw ym Mhenllyn ar wahân i eithriadau a nodwyd gan y landlord.

Heb os, roedd yma ddiwydiant pwysig a oedd yn hanfodol i ffyniant a dyfodol y stad o gofio'r trafferthion ariannol. Ym 1880, roedd cyfanswm y rhent a dderbyniwyd dros £13,000, allan o hyn roedd £3,000 yn rhent am saethu.

Hela yn hytrach nag amaethyddiaeth oedd yn mynd â bryd Price, fel y dywedodd golygydd *Y Faner* amdano, 'y mae'r olygfa o unrhyw ddyn ieuanc sydd wedi gosod ei fryd ar hela ar draws cysur a llwyddiant ac iawnderau ei denantiaid yn wir druenus'.[21] I'w denantiaid, rhyw wagedd, rhyw ymbleseru ffôl oedd y diddordeb yma. Hwyrach eu bod o ran gwleidyddiaeth yn rhyddfrydwyr, ond o ran natur roedd yna elfen gref o geidwadaeth yn amlygu ei hun ynddynt.

Ciperiaid

I edrych ar ôl yr holl ffesants, cwningod ac yn y blaen, rhaid oedd cael ciperiaid. Yn ôl tystiolaeth Tom Ellis i'r Comisiwn Tir, *'a crowd of English and Scotch gamekeepers were introduced and dotted all over the estate. I cannot describe the repugnance and loathing caused by the overbearing conduct and petty tyranny of many of these gamekeepers'*.[22] Damniol i ddweud y lleiaf, ac mae'n siŵr fod ambell i Amen wedi cael ei dweud yn ddistaw gan y tenantiaid with iddynt wrando ar y dystiolaeth hon. Mae'n rhaid cyfaddef mai anodd os nad amhosibl yw canfod rhywun yn rhywle yn dweud gair da am giperiaid, yn enwedig ciperiaid y Rhiwlas. Yn ôl *Y Faner* ym 1868, disgrifir hwy fel, 'dynion eithaf digymeriad yn cario chwedlau mwy celwyddog na'i gilydd [i'w meistr]' a bod R J Lloyd Price 'yn treulio ei amser gyda'r dosbarth isa' o giperiaid ac yn diystyru dyletswyddau ei sefyllfa'.[23] Roedd Price yn ymbellhau ei hun o'i denantiaid ac roedd hyn yn creu chwerwder yn eu mysg. Yn ei thystiolaeth i'r Comisiwn, dywed Gwen Jones, tenant Y Gelli, fferm a oedd gyferbyn â'r Rhiwlas, mai'r unig adeg yr oedd yn gweld Price oedd pan fyddai'n hela dros ei thir neu pan fyddai hi yn mynd i'r Rhiwlas i dalu'r rhent.[24]

Roedd yna gasineb cyffredinol yn erbyn y ciper ac weithiau hyd yn oed yn erbyn ei deulu. Doedd hi ddim yn beth diarth i gipar gael ei fygwth neu gael ei saethu ato. Ym 1875 fe saethwyd at Henry Weetman, cipar ar y stad. Yn ei dystiolaeth i'r llys dywed, *'two pointed guns at me and said they would fire if I came nearer – I fell down ... a shot was fired and passed very near my right side'*.[25] Doedd dim amheuaeth beth fyddai tynged Thomas Storer cipar arall yn Awst 1873, roedd rhywun wedi paentio ar giât ger y Bala, *'Thomas Storer shall be murdered'*.[26]

Pwy felly oedd y dynion yma oedd yn ennyn cymaint o gasineb? A faint o wirionedd oedd yna yn yr haeriad fod gan y stad bolisi pendant o gyflogi ciperiaid o Loegr a'r Alban gan anwybyddu Cymry? Yn ôl cyfrifiad 1861 dim ond un cipar a gyflogid gan Rhiwlas – John Davies, 55 mlwydd oed yn hanu o'r ardal ac wedi gweithio ar y stad am flynyddoedd. Erbyn cyfrifiad 1871[27] mae pethau wedi newid yn ddirfawr – nodir fod 14 o giperiaid yn byw ym mhlwy Llanfor – roedd deg o Loegr, dau o'r Alban a dau o Gymru. Hyd yn oed gyda'r ddau Gymro, doedd yr un ohonynt yn lleol, yr agosaf oedd Evan Jones o Glyndyfrdwy, ryw ddeunaw milltir i ffwrdd. Ym mhlwyfi cyfagos Llandderfel, Llangower, Llanycil a Llanuwchllyn ceid dim ond wyth cipar rhyngddynt ac ar wahân i un roeddynt i gyd yn ddynion lleol.

Am y 14 a gyflogid gan Rhiwlas, roeddynt wedi eu lleoli yma ac acw ar y stad, yn bennaf i gadw golwg ar bethau ac i warchod y gêm. Yn ddi-Gymraeg, yn Eglwyswyr, a heb weld rhinweddau llwyrymwrthodiaeth – y rhain felly yr oedd y denantiaeth Gymreig, Anghydffurfiol a chan amlaf llwyrymwrthodol yn eu gweld yn ei lordio hi ac yn barod i gario clecs i'r landlord. Crëwyd anniddigrwydd pellach gydag amheuaeth fod rhai tenantiaid yn barod i gario straeon i'r ciperiaid fod hwn a hwn yn potsio. Roedd yr amheuaeth yma, yn gam neu yn gymwys, yn cael ei chario o un genhedlaeth i'r llall ac yn creu hollt yn y gymdeithas.

Yn y pum plwy ym 1871 cafwyd 22 o giperiaid, sef byddin fechan. Ac ar yr ochor arall yn eu hwynebu roedd eu gelyn pennaf, sef y potsiars.

Y Potsiars

Ar lafar gwlad edrychid ar y potsiar fel rhywun oedd yn amddiffyn hawliau'r bobol i hela beth a lle y mynnent heb neb i'w gwahardd. Mae yna ryw elfen ramantus ac arwrol yn perthyn iddo, ac adlewyrchir hyn yn llenyddiaeth boblogaidd y cyfnod.[28] Yn *Gwen Tomos* mae potsio a photsiars yn chwarae rhan bwysig yng nghefndir y nofel. Potsio a anfonodd Wil druan i garchar Rhuthun a doedd yr un ddrama'n werth ei halen os nad oedd ynddi gipar dialgar, landlord afradus, hen gwpwl parchus diniwed gyda merch rinweddol hardd, cyw gweinidog mewn cariad â'r ferch ac, wrth gwrs, y potsiar. Eto rhaid bod yn ofalus rhag gor-ramanteiddio'r sefyllfa – mi roedd yna gondemnio hallt arnynt, nid yn unig gan y landlordiaid a'r llysoedd, '*poachers are the most disreputable class on the face of the earth*' meddai Crwner Conwy yn 1860 – ond condemnid hwy hefyd o'r pulpud. Ofnid mai segurdod a meddwdod oedd yn creu potsiar ac mai carchar neu hyd yn oed y grocbren fyddai diwedd y daith. Yn rhifynnau cyntaf *Y Dydd,* o dan olygyddiaeth S.R., mae gan ei frawd J.R. stori, neu ffugchwedl fel y gelwir hi, yn dwyn y teitl Ned y Poacher. Moesolir yn erbyn potsio, ac yn y diwedd cael ei grogi wna Ned am ladd cipar. Er hyn, mae yna gydymdeimlad â Ned. Y landlordiaid sy'n cael y bai am greu'r sefyllfa lle mae dynion fel Ned yn mynd allan i botsio. Ym marn J.R., 'ynfydrwydd arglwyddi tiroedd gododd herwhelwyr allan'.[29] Yn wahanol i Ned, dianc i'r America gyda chymorth ei gymdogion, er bod gwobr o £100 ar ei ben, wnaeth Wil Cefncoch ar ôl iddo ladd cipar yr Arglwydd Lisburn yn Llangwyryfon, Ceredigion ym 1868.[30]

Un peth diddorol sydd yn dod i'r amlwg yw nad pobol yr ymylon yn unig oedd yn potsio. Gallai potsiar fod yn perthyn i unrhyw haen o gymdeithas, yn weithiwr tlawd, yn flaenor parchus, yn weinidog yr Efengyl, neu hyd yn oed yn aelod o'r haen uchelwrol, fel y rhyfeddol Julius Julian le Prince de Vismes et de Ponthieu, a ddisgrifiwyd yn y llys fel uchelwr Ffrengig ac a gyhuddwyd o botsio yn ardal Llanuwchllyn ac a ddirwywyd ddeg swllt gan ynadon Y Bala ym 1871.[31]

Fe welir y croestoriad cymdeithasol yma mewn achos a ddaeth o flaen y Llys Bach yn y Bala yn Rhagfyr 1867 lle y cyhuddir 5 o ardal Celyn o botsio eogiaid yn yr afon Tryweryn.[32] Yn ôl y ciperiaid, yr oedd yna 14 i gyd yn potsio yn yr afon y noson honno. Yn y ffrwgwd sy'n dilyn, mae'r potsiars i gyd yn dianc gan adael y ciperiaid yn waglaw, ond yn ôl eu tystiolaeth wedyn roeddynt wedi adnabod pump ohonynt ac am gyfnod wedi dal un, *'I caught Thomas Hughes and held him for two or three minutes but had to let go owing to a blow to the head'*, meddai Richard Ridgley un o'r ciperiaid yn ei dystiolaeth.

Y pump a ymddangosodd o flaen y llys oedd Thomas Hughes tenant Y Gelli; Morris Jones tenant Brynifan; Richard Jones mab Bochrhaiadr ynghyd â'r gwas Rowland Jones ac Edward Roberts, Minffordd, labrwr. Yn ogystal, daethpwyd ag achos yn erbyn Edward Jones, tenant Bochrhaiadr am fod a thri eog a gaff yn y tŷ. Tenantiaid neu feibion i denantiaid, roedd y rhain yn ddynion yn eu hoed a'u hamser, yn gyfrifol a pharchus, ac fe welir y gymdeithas yn dod at ei gilydd i'w hamddiffyn. Fel alibi i Thomas Hughes y Gelli, dywedodd John Roberts, Weirglodd Ddu, ei fod wedi bod gydag ef yn y Gelli drwy'r nos. Pan ofynnwyd iddo beth oedd yn ei wneud yno dywed, 'yr oeddwn yn darllen fy Meibl'. Mae gan bob un o'r lleill dystion i brofi eu bod adref ac nid yn yr afon – mi roedd yna lawer o ymweld yn mynd ymlaen y noson arbennig honno yn ardal Celyn. Fe daflwyd yr achos allan. Am Edward Jones Bochrahaiadr[33] mae ei sefyllfa ef ychydig yn anoddach o gofio fod yna dri samwn a gaff yn digwydd bod yn y tŷ yn barod. Am hyn fe'i dirwywyd £7-10-0 ynghyd â chostau.

Beth sy'n ddiddorol, ac sydd i'w weld yn yr achos yma, yw'r gred gyffredinol ymysg y bobol nad yw potsio yn dor cyfraith yn yr un modd â lladrata. Hynny yw, roedd potsio yn drosedd wedi ei chreu gan y gyfraith ac roedd y gyfraith yn nwylo'r tirfeddianwyr, doedd yna ddim sen o gael eich hun yn euog o botsio. A fuasai John Roberts wedi bod mor barod i roi alibi i Thomas Hughes pe buasai hwnnw dyweder wedi ei gyhuddo o ladrata?

Mae yna resymau eraill pan nad oedd pobol yn gweld potsio fel tor cyfraith. Yn gyntaf, y cipar gan amlaf ac nid plismon oedd yn erlyn, ac fel y gwelsom doedd yna ddim parch i'r cipar a thrwy hynny ddim parch i'r gyfraith. Yn ail, doedd y potsiars ddim yn gweld eu hunain fel herw helwyr ond yn hytrach fel helwyr lle'r oedd y ffesant y gwningen, yr eog ac yn y blaen yn cael eu gweld yn eiddo i unrhyw un a fyddai yn barod i fynd i'w hela – anifeiliaid gwyllt oeddynt.

Adlewyrchir hyn yn y brotest yn erbyn yr hyn a elwid yn *Game Laws*,[34] cyfreithiau a basiwyd i amddiffyn y gêm ac yn bwysicach i gadw'r hawl i hela yn nwylo'r tirfeddiannwr. Yn ôl gohebydd y *Times* yn 1843, adeg terfysgoedd Beca, roedd yna gasineb cyffredinol i'r cyfreithiau hyn yng Nghymru. Y gyfraith fwyaf dadleuol oedd y *Ground Game Act* a basiwyd yn 1831, a wrthodai'r hawl i denant a neb arall ar wahân i berchennog y tir, ladd yr un gwningen neu sgwarnog – y canlyniad fel y nodwyd eisoes oedd bod yr anifeiliaid hyn yn cynyddu mewn nifer ac yn bwyta cynnyrch y ffermwyr. Diddymwyd y ddeddf yma ym 1882, ond ar stad y Rhiwlas ni chaniateid i neb ddefnyddio gwn i ladd cwningod; dim ond yr hawl i'w rhwydo a ganiateid, a hynny yn anfynych. Roedd cyfreithiau fel y *Game Laws* yn cael eu gweld yn dibrisio cyfraith y wlad ac fe allai hyn droi yn sefyllfa argyfyngus. Fel y dywed y *Caernarvon and Denbigh Herald* yn 1860, *'laws [such as the Game Laws] make private property out of public vermin and tend to break down the respect that should be felt for all law'*.[35]

Yn ôl Dr David Jones, mi roedd y nifer o achosion potsio ar ei uchaf yng Nghymru rhwng 1865 ac 1880. Mae hyn yn cyd-fynd â beth oedd yn digwydd ar y stad yma. Mewn erthygl ddiddorol a gyhoeddwyd yn *Y Seren*, papur lleol ardal Y Bala, ym 1923 dywed yr awdur sy'n mynd o dan yr enw Gohebydd Achlysurol fod achosion o botsio ar y Rhiwlas ar ei waethaf o ganol yr 1860au ymlaen. Yr oes glasurol fel y geilw hi oedd o 1866 i 1870. Fe geir tystiolaeth ychwanegol i gadarnhau hyn ymysg papurau'r Llys Bach. Rhwng 1867 ac 1878 daethpwyd a 70 o achosion yn ymwneud â photsio mewn rhyw fodd neu'i gilydd gerbron mainc Y Bala.[36] O'r 70 yma, mae 10 yn ymwneud â physgota anghyfreithlon, 11 gydag achosion potsio ar stadau eraill, tra mae'r gweddill, 49 i gyd, yn ymwneud â stad y Rhiwlas. Dylid cofio nad yw nifer yr achosion yn rhoi darlun cyflawn o faint o botsio oedd yn mynd ymlaen – hanfod pob potsiwr da oedd peidio â chael ei ddal.

Rhydd y Gohebydd Achlysurol reswm diddorol pam fod dynion yr ardal yn mynd i botsio:

> Yr oedd potsiar yr adeg yma yn rhywbeth gwahanol iawn i herwhela cyffredin. Nid ryw hela gan weithwyr tlawd am ambell sgwarnog ydoedd eithr cad gan feibion ffermwyr cyfrifol a gwŷr ieuanc parchusa'r fro. Protest ydoedd yn erbyn y giwed o giperiaid Seisnig diegwyddor oedd wedi eu dwyn i'r wlad i dreisio'r trigolion.[37]

Nid er mwyn cynhaliaeth nag er mwyn arian yr oedd potsio yn mynd ymlaen ond fel elfen o ddial. Gwna Tom Ellis yr un pwynt yn ei dystiolaeth i'r Comisiwn Tir, *'how bands of young farmers used to go about the fields at night, maintaining terrible fights with keepers, not for the mere purpose of poaching, but as a protest against the system which had grown up'*.[38] Mae rhai haneswyr wedi dadlau fod potsio fel ryw fath o ryfel cartref yng nghefn gwlad – hwyrach y buasai'r term gwrthryfel yn fwy cywir.

Felly ar stad y Rhiwlas erbyn tua chanol y 60au, roedd casineb tuag at y ciperiaid, y gêm a'r *Game Laws* ynghyd â deffroad gwleidyddol yn esgor ar sefyllfa fflamychol.

Mae un achos arbennig yn amlygu'r tensiynau yma.[39] Yn ystod oriau mân y bore 19 Tachwedd, 1867 ar fferm o'r enw Tynffridd, rhyw filltir i'r dwyrain o'r Bala, daeth mintai o tua dwsin o botsiars wyneb yn wyneb â chwech o giperiaid Rhiwlas oedd yn disgwyl amdanynt – mae gan bron bawb wn. Does yma ddim ymgais gan yr un o'r potsiars i ddianc – maen nhw yn sefyll eu tir. Ceir disgrifiad o beth ddigwyddodd wedyn yn nhystiolaeth un o'r ciperiaid Evan Jones,

> *As we neared them, they called out, 'stand back' ... Edward Owen held the gun the others shouting, ' shoot, shoot'. Edward Owen did fire a shot – the shot passed by me. I took hold of the gun – Edward Owen and I had a struggle during which we both fell – I received a blow to the head as we fell – Edward Owen and I struggled on the ground for some time – George Straiton came to my assistance and we got the gun.*

Mae hi'n ymladdfa gyffredinol gydag ergydion yn cael eu tanio gan y ddwy ochor. O'r deuddeg, daliwyd tri a'u hebrwng i swyddfa'r heddlu yn y Bala – Edward Owen 21 oed, Evan Jones 16 oed a John Roberts, 25 oed. Am y gweddill maent yn diflannu i'r nos.

Yn ôl Owen Richards, meddyg a alwyd gan yr heddlu, roedd anafiadau difrifol ar y carcharorion. Meddai yn ei dystiolaeth, *'I found John Roberts had wounds on the head and nose produced by some blunt instruments – they must have been used with some great deal of force – there was a good deal of blood on the head and clothes'*. Yr un oedd yr olwg ar y ddau arall, ac mewn un adroddiad sonnir fod Edward Owen wedi ei gicio yn ddidrugaredd gan un o'r ciperiaid, a bod braich a choes Evan Jones wedi eu gyrru allan o'u lle. Mi roedd wedi bod yn ymladdfa giaidd dros ben.

Ar Dachwedd 23ain, cynhaliwyd yr achos traddodi yn llys y Bala ac roedd y dref yn ferw drwyddi. Yn ôl y papurau newydd disgrifir y tri diffinydd fel meibion i amaethwyr parchus. Nid pobl yr ymylon sydd yma, ond dynion cyfrifol. Roedd y llys yn llawn gyda theimladau cryfion yn cael eu mynegi o blaid y diffynyddion ac yn erbyn y ciperiaid a bu raid i'r fainc fygwth clirio'r llys pan honnodd yr amddiffynnydd O.D.Hughes, 'nid oedd yn ofn mynegi yn gyhoeddus mai Mr. Price oedd yn gyfrifol am y sefyllfa yr oedd y diffynyddion wedi eu canfod eu hunain ynddo. Yr oedd ei geidwaid fel hunllef gythryblus i'w denantiaid, yr oedd ei helwriaeth yn difa eu cnydau. Yr oedd Mr. Robertson Crogen yn gweithredu yn ddoeth gyda'i denantiaid, gwylient yr helwriaeth, a chadwent yr heddwch'.

Aeth y lle yn wyllt drwyddo, fel y noda'r *Faner*, 'rhoddwyd uchelgymeradwaeth i'r geiriau hyn a hwtiau yn erbyn Price'.[40] Mi roedd O D Hughes yn gwneud pwynt gwleidyddol, roedd Henry Robertson yn Rhyddfrydwr blaenllaw a fyddai yn nes ymlaen yn dod yn Aelod Seneddol dros Feirion. Ar ddiwedd y gwrandawiad traddodwyd y tri i sefyll eu prawf yn y Brawdlys nesaf ym mis Mawrth y flwyddyn ganlynol ar fechnïaeth o £50 yr un.

Cyn i'r Brawdlys yma gael ei gynnal, daw achos diddorol arall o flaen mainc Y Bala. Cyhuddodd John Roberts un o'r tri diffynnydd, wyth o giperiaid y Rhiwlas o Ymosod a Lladrad Penffordd.[41] Yn ôl John Roberts, tra roedd yn cerdded adref o'r Bala tua 11 o'r gloch y nos ar 7 Rhagfyr, 1867 ymosodwyd arno gan wyth o giperiaid Rhiwlas, a dwyn gwn oedd yn ei gario oddi arno. Dywed mai'r rheswm fod gwn ganddo oedd ei fod wedi bod ag ef yn y Bala i'w drwsio. Yn ôl y ciperiaid allan i botsio oedd Roberts. Fel ac o'r blaen ar ddiwrnod yr achos, roedd cryn gynnwrf yn y dref gyda'r heddlu allan mewn grym. Gwnaed y sefyllfa yn waeth pan benderfynwyd cynnal yr achos y tu ôl i ddrysau cloëdig. Fel y nododd un llygad dyst, 'a oedd yr ynadon ofni'r cyhoedd gael lle i ddangos eu teimlad fel ac o'r blaen ?'[42] Taflwyd yr achos allan gyda'r ciperiaid yn cael eu barnu yn ddieuog.

Gyda'r dyfarniad yma cyhuddwyd y fainc o fod dan bawen y tirfeddianwyr a bod cyfiawnder wedi ei wyrdroi. Ymddangosodd llythyr ar ôl llythyr yn *Y Faner* yn condemnio'r fainc am eu penderfyniad. Awgrym un llythyrwr oedd y dylid apwyntio Ynad Cyflogedig i Sir Feirionnydd tra yn ôl llythyrwr arall, 'cyn y ceir y werin i barchu'r gyfraith, rhaid iddynt gael eu hargyhoeddi fod y bonheddwyr yn gweithredu'n deg'.[43] Yn amlwg, doedd pobol Penllyn ddim wedi eu hargyhoeddi.

Gyda drwgdeimlad ac amheuon am gyfiawnder y gyfraith, daw achos y tri o flaen y Brawdlys ar 12 Fawrth, 1868. Pledia'r tri yn euog, ac fe'i rhyddheir ar fechnïaeth i gadw'r heddwch. Anti cleimacs i ddweud y lleiaf! Yn rhyfeddol fyth, yn ystod yr achos mae Price ei hun yn erfyn am drugaredd i'r diffynyddion oherwydd mewn datganiad i'r llys cyfaddefa fod yna ddrwgdeimlad yn ei erbyn, 'yr oedd yn credu meddai fod y ffrwgwd wedi codi nid yn gymaint o ddibenion helwriaethol ond oddi ar ddigllon tuag at ef ei hun'.[44] Ei obaith bellach oedd y byddai pethau yn setlo lawr ac y gallai fod yn dirfeddiannwr poblogaidd fel ei daid. Yn amlwg `roedd pwysau wedi eu rhoi arno ond gan bwy? A oedd wedi cael ei fygwth y buasai ychwaneg o drafferthion gyda photsiars yn dod i'w rhan os na fyddai yn newid ei agwedd neu a oedd ei gyd landlordiaid wedi ei orfodi i ildio o gofio fod Etholiad Cyffredinol ar y gorwel? Roedd *Y Faner* yn sicr ei fod wedi ei synnu at faint y casineb tuag ato:

> Mae'n rhaid bod y teimlad yn ei erbyn yn rymus cyn byth y buasai yn plygu mor isel. Gobeithir y cedwir hyn mewn cof gan Mr. Price ar landlordiaid eraill pan ddaw etholiad ... i beidio arfer yr Ysgriw rhag digwydd iddynt beth a fyddo gwaeth.[45]

Galwyd Etholiad Cyffredinol am 17 Tachwedd, 1868. Er ei fod yn wael ei iechyd, ymgeisiodd David Williams, Castell Deudraeth unwaith eto dros y Rhyddfrydwyr yn erbyn W.R.M.Wynne i'r Torïaid. Gyda Deddf Diwygio'r Senedd 1867, roedd y nifer a allai bleidleisio yn y Sir wedi codi o 1,527 i 3,185, yn rhannol oherwydd ymestyn y bleidlais i chwarelwyr Blaenau Ffestiniog. Er hyn i gyd, roedd y bleidlais yn dal yn un agored ac fe ofnid y sgriw unwaith eto – doedd neb wedi anghofio 1859. Yn ardal y Bala clywid sibrydion fod Rhiwlas yn dechrau rhoi pwysau ar eu tenantiaid. Ar ddiwrnod Ffair Glangaeaf yn y Bala (Hydref 24ain) aeth si ar led fod tenantiaid yn cael eu bygwth y byddent yn colli eu ffermydd os pleidleisient yn groes i ddymuniad eu tirfeddiannwr. Y noson honno, mewn ymateb i'r bygythiadau hyn, aeth criw o ddynion i goedlan ger y Rhiwlas a lladd hynny o ffesants y gallent eu canfod, fel y noda *Y Dydd*, 'yr oedd yn fintai mor bwerus fel na feiddiai 'run cipar eu hatal',[46] ac yn fwy arwyddocaol nid arestiwyd neb am y weithred hon.

I'r tenantiaid, doedd 1859 ddim yn mynd i ddigwydd eto. Roedd yna adroddiadau fod cefnogwyr y Rhyddfrydwyr yn mynd o amgylch ffermydd yr ardal gan atgoffa'r tenantiaid oedd gan bleidlais fod, '*matches* yn bethau pur rad'. Mi roedd y tenant yn ei chael hi o'r ddwy ochor. Er na allai gohebydd *Y Dydd* gytuno â'r hyn sy'n mynd ymlaen eto dylai'r landlordiaid gofio, 'os canlynent eu hen ffyrdd yna fe fydd yna garcharu ac efallai alltudio a chrogi'. Mae'n ddiddorol ac arwyddocaol mai teitl yr erthygl yma yn *Y Dydd* oedd 'Herwhela, Y Sgriw a Beca yn Y Bala'.[47]

Ar Sadwrn 7 Tachwedd daeth nifer o'r tenantiaid at ei gilydd yn y Bala i drafod y sefyllfa fel y dywedant, 'gofidus a pheryglus'. Mae hwn yn gyfarfod diddorol ac ar ôl trafodaeth penderfynwyd anfon llythyr i Price. Ynddo, maent yn condemnio'r potsiars gan gofio, 'ymddygiad trugarog Mr Price mis Mawrth diwethaf tuag at y dynion ieuanc parchus a'i addewid i leihau nifer y gêm ar y stad'. Eu gobaith nawr oedd y byddai'r potsio, oedd wedi creu cymaint o ddrwgdeimlad ar y stad, yn stopio. Pan gyhoeddwyd y llythyr yma yn *Y Faner* rhoddwyd nodyn golygyddol gan Thomas Gee yn datgan ei falchder fod Price yn dechrau gwrando ar ei denantiaid ac, 'yn ymddwyn mor foneddigaidd ag i beidio â chanfasio yn yr etholiad presennol'.[48] Pe byddai Price wedi ymddwyn yn wahanol yna fe fyddai yna ychwaneg o ymosodiadau ar y stad – gan y tenantiaid yr oedd y Sgriw nawr.

Ond mi roedd yr ysgrifen ar y mur i'r Toriaid, ar 14 Tachwedd, dri diwrnod cyn yr Etholiad, penderfynodd y blaid dynnu'n ôl o'r frwydr a gadael y sedd i David Williams a'r Rhyddfrydwyr.

> Mae Castell Deudraeth ar ei draed,
> A Pheniarth mewn adfeilion

Diweddglo

Cyfnod digon cythryblus oedd y blynyddoedd yma i denantiaid y Rhiwlas. Gyda'r newid pwyslais ar y stad teimlent wedi eu dieithrio o'r landlord. Roedd dyddiau `hapus' Richard Watkin Price wedi hir ddiflannu ac yn eu lle daeth meistr tir ifanc haerllug ei natur â'i fryd ar newid pethau. Roedd y ciperiaid – a welid ganddynt yn perthyn i ddosbarth is na nhw eu hunain ac eto yn gallu cael clust y landlord –

yn fwrn arnynt ac roedd hyn yn magu casineb. Yn cyd-redeg â hyn oedd y ffaith fod y gêm yn difetha bywoliaeth rhai ohonynt, ac er i Price ddadlau y byddai unrhyw denant a allai brofi iddo ddioddef colled yn cael iawndal gan y stad, roedd llawer fel y nodwyd yn Adroddiad y Comisiwn Tir ofn cwyno. Cwyn arall oedd bod yr iawndal a delid gan amlaf yn rhy ychydig am yr hyn a gollwyd.

Gwelir rhwystredigaeth yma, sef teimlad o fod yn ddiymadferth i wrthsefyll y newidiadau a oedd yn eu barn hwy yn niweidio eu bywoliaeth. Edrychwyd ar botsio fel un ffordd o ddial ar y stad – dyna'r rheswm fod cymaint o gefnogaeth i'r potsiars, cefnogaeth yr oedd Price ei hun yn gorfod ei chydnabod. Er y rhwystredigaeth, roedd hon yn denantiaeth oedd yn dod yn fwy hyderus ac yn fwy parod i ymladd am yr hyn yr oeddynt yn ei gredu ynddo. Roedd y capel yn bwysig iawn yn eu bywydau a blaenoriaid yn y capeli hyn oedd yr arweinwyr newydd – ffaith a ddeallwyd yn iawn gan Rhiwlas – allan o'r pum tenant a gollodd eu ffermydd ym 1859, roedd pedwar ohonynt yn flaenoriaid neu ddarpar flaenoriaid yn y capeli lleol.[49] Enghraifft arall o'r hyder yma oedd y cyfarfod a gynhaliwyd yn y Bala ychydig ddyddiau cyn yr Etholiad yn 1868, lle bu'r tenantiaid yn drafftio llythyr i'w anfon i Price. Ganddynt hwy yn nawr oedd y llaw uchaf, y nhw nawr oedd yn troi'r Sgriw.

Roedd dylanwad y wasg yn bwysig. Soniais ar y dechrau am dwf y wasg Ryddfrydol, a does dim dwywaith fod papurau newydd, yn enwedig *Y Faner*, yn ecsploetio cwynion y tenantiaid ac weithiau yn gor-bwysleisio'r gagendor rhwng y landlord a'i denantiaid, a hynny er mwyn dibenion gwleidyddol. Condemnir Price mewn erthygl ar ôl erthygl, ac fel yr agosaodd Etholiad 1868 aeth yr ymosodiadau yn fwy niferus.

Ar ôl Etholiad 1868 a buddugoliaeth y Rhyddfrydwyr tawelodd pethau ar y stad. Er bod potsio yn dal ymlaen, roedd y gangiau mawr wedi diflannu. Bu'r stad yn cael ei rheoli yn well ac er bod yna gwyno parhaus am y gêm bu yna gydnabyddiaeth gan y stad fod rhai ffermwyr yn dioddef colledion trwm ac fe welwyd rhenti rhai ffermydd yn cael eu gostwng.

Er i gasineb at y ciperiaid ddal i fodoli, eto i gyd roedd wedi lliniaru o'r hyn y bu, yn enwedig wrth i'r ciperiaid a'u teuluoedd ddod fwyfwy yn rhan o'r gymdeithas. Mewn amser byddai'r Tees, teulu a hanai yn wreiddiol o Ponterfact, a'r Guests, yn wreiddiol o Gaint, yn dod mor Gymreig â'r Cymry eu hunain.

*Dymunaf ddiolch i'r Dr William Griffith, Adran Hanes a Hanes Cymru, Prifysgol Bangor am ei gefnogaeth a'i awgrymiadau buddiol ynglŷn â'r erthygl hon.

Nodiadau

[1] Llyfr Log Ysgol Capel Celyn, ZA/14/37, Archifdy Meirionnydd.
[2] Dyfynnwyd o erthygl Ieuan Gwynedd Jones, 'Radicaliaeth' yn *Atlas Meirionnydd* gol. Geraint Bowen (Y Bala), t. 140.
[3] *Minutes of the Royal Commission on Land in Wales and Monmouthshire,* (RCLW), [C-7439-I], 1894, Cyf. 1, tystiolaeth John Jones, cwestiwn 8163, tudalen 327.
[4] *Ibid.,* Dafydd Roberts, c.16542A, t. 761.
[5] *Ibid.,* c.16543, t. 762.
[6] *Ibid.,* Thomas Edward Ellis AS, c.16911, t. 786.
[7] *Ibid.,* Thomas Davies, c.8141, tt. 326-327.
[8] *Ibid.,* R.J.Ll. Price, c.16376, t. 751.
[9] *Ibid.,* Thomas Ellis, c.17545, t. 829.
[10] Memorandum Book 1826-1859 of Richard Watkin Price, Rhiwlas MSS, A40, Llyfrgell Genedlaethol Cymru (LlGC). Derbyniodd gyfran o stad Rhiwaedog ym 1832 drwy ewyllys Anna Sophia Susanna Iles disgynnydd olaf Llwydiaid Rhiwaedog ar yr amod fod disgynyddion Richard Watkin Price yn ychwanegu Lloyd i'w cyfenw. Gweler *Copy Will of Anna Sophia Susannah Iles,* Nannau MSS. 718, Archifdy Prifysgol Bangor.
[11] Yn ôl un hanes wedi adeiladu'r gladdfa gwrthododd Esgob Llanelwy gysegru'r adeilad oherwydd bod y gerdd wedi ei cherfio uwchben y drws. I liniaru teimladau'r Esgob tynnwyd y garreg i ffwrdd a rhoddwyd un blaen yn ei lle. Ar ôl y gwasanaeth rhoddwyd yr un wreiddiol yn ôl.
[12] Gweler Ieuan Gwynedd Jones, 'Merioneth Politics in Mid-Nineteenth Century: The Politics of a Rural Economy' a D.G.Lloyd Hughes, 'David Williams, Castell Deudraeth and the Merioneth Elections of 1859, 1865 and 1868', *Cylchgrawn Cymdeithas Hanes a Chofnodion Sir Feirionnydd, (CHSF),* Cyf. V. (1968).
[13] Tystiolaeth John Jones, Maesgadfa, Bangor MSS. 11501, Archifdy Prifysgol Bangor.
[14] Thomas Edward Ellis AS, Cyf. I, c.16910, t. 785.
[15] Llyfr nodiadau Dr Arthur Davies, ZM/59/6, Archifdy Meirionnydd. Mae yna saith pennill i gyd.
[16] Thomas Ellis, Cyf. I, c.17544, t. 829.

[17] R.J. Lloyd Price, *Dogs Ancient and Modern and Walks in Wales* (Llundain 1893). Ysgrifennodd ddau lyfr arall sef *Rabbits for Profit and Rabbits for Powder* (Llundain 1884) a'r llyfr hynod ddiddorol, *The History of Rulacc, or Rhiwlas, Ruedok, or Rhiwaedog* (1899).

[18] Thomas Edward Ellis AS, Cyf I, c.16911 t. 786.

[19] Rhiwlas MSS. 2/155, Archifdy Meirionnydd.

[20] J.H. Lloyd, 'The Lost Industries of the Rhiwlas Estate', *CHSF*, Cyf. IV, t. 129, (1962).

[21] *Y Faner*, 29 Ionawr, 1868.

[22] Thomas Edward Ellis AS, Cyf I. c.16911, t. 786.

[23] *Y Faner*, Ionawr 29, 1868.

[24] Gwen Jones, Cyf.I, c.16819-16821, t. 779.

[25] Tystiolaeth Henry Weetman o flaen Llys y Sesiwn Bach yn y Bala, Rhagfyr 14, 1875, Llyfr Cofnodion Llys y Sesiwn Bach, Penllyn, ZPS/51/3, Archifdy Meirionnydd.

[26] *Ibid*, Thomas Storer, Medi 6, 1873, ZPS/51/3, Archifdy Meirionnydd.

[27] Cyfrifiad 1871, pl. Llanfor: Henry Smith, Sutton, Caer; Edward Millichap, Amwythig; George Webb, Norfolk; Austin Collins, Blachford, Dorset; James Gregory, Henley in Arden, Warwick; Alfred Storer, Drayton Bassett, Stafford; George Bamford, Amwythig; Thomas Strangwood, Stourport; James Fowls, Worthingbury; John Lloyd, Croesoswallt; George Straiton, Yr Alban; Duncan McIntosh, Yr Alban; Evan Jones, Glyndyfrdwy; Llywelyn Hookes, Rhuthun.

[28] Gweler Emlyn Richards, *Potsiars Môn*, 'Y Potsiars yn ein Llenyddiaeth' tt. 134-159 ynghyd â'r Cyflwyniad gan Einion Wyn Thomas, (Gwasg Gwynedd 2001).

[29] *Y Dydd*, (Dolgellau), *Ned y Poacher* gan J.R. (John Roberts), 5 Mehefin – 3 Gorffennaf, 1868.

[30] Bethan Phillips, *Dihirod Dyfed*, 'Wil Cefncoch', t.1-16 (Caerdydd 1991).

[31] Achos yn erbyn Julius Julian le Prince de Vismes et de Ponthieu, Rhagfyr 30, 1871, Llyfr Cofnodion Llys y Sesiwn Bach Penllyn, ZPS/51/2, Archifdy Meirionnydd. Yn ogystal â chael dirwy am botsio cafodd ddirwy ychwanegol o £2 am ymosod ar David Jones Pandy Mawr yng ngorsaf Llanuwchllyn. David Jones oedd wedi ei erlyn yn yr achos gwreiddiol.

[32] Achos yn erbyn Thomas Hughes, Morris Jones, Richard Jones, Rowland Jones ac Edward Jones, Rhagfyr 14, 1867, ZPS/51/2. Yn ddiddorol o gofio nifer yr afonydd yn yr ardal dyma'r unig achos o botsio eogiaid a ddaeth o flaen y llys yn ystod y cyfnod yma. Er bod yna gyfreithiau yn ymwneud a photsio eogiaid ac er sefydlu 'Cymdeithas Bysgodfeydd yr Afon Ddyfrdwy' i warchod yr afonydd ym 1866 dim ond dau gipar a gyflogwyd ganddynt ac o gofio maint y dyfroedd oedd angen eu gwarchod 'roeddynt yn hollol aneffeithiol.

[33] Achos yn erbyn Edward Jones, 7 Rhagfyr, 1867, ZPS/51/2.

[34] Gweler P.B. Munsche, *Gentlemen and Poachers, The English Game Laws 1671-1831* (Caergrawnt, 1981). Gweler hefyd, David J.V. Jones, *Crime in Nineteeth-Century Wales* (Caerdydd 1992).

[35] Dyfynnwyd gan S.C.Ellis, 'Observation of Anglesey life through the Quarter Sessions Rolls 1860-1869', *Trafodion Cymdeithas Hynafiaethwyr Môn*, 1986, t. 132.

[36] Llyfrau Cofnodion Llys y Sesiwn Bach Penllyn, 2 gyfrol, 1867-1871, ZPS/51/2; 1872-1878, ZPS/51/3, Archifdy Meirionnydd.

[37] *Y Seren*, 27 Ionawr, 1923.

[38] Thomas Edward Ellis AS, Cyf 1, c.16958, t. 793.

[39] Achos yn erbyn Evan Jones, John Roberts ac Edward Owen, Tachwedd 23, 1867, ZPS/31/2.

[40] *Y Faner*, Rhagfyr 4, 1867.

[41] Achos yn erbyn John Lloyd, George Straiton, Charles Jones, Thomas Strangwood, Evan Jones, David Jones, William Armstrong ac Evan Roberts., Ionawr 4, 1868, ZPS/51/2. Honiad arall gan John Roberts oedd bod y ciperiaid wedi dwyn cyllell oedd yn perthyn iddo a'u bod wedi ymddwyn yn dreisgar tuag ato. Dylid cofio fod John Roberts yn un o'r rhai a gymerodd ran yn yr ymladdfa yn Tynffridd a hwyrach fod yna elfen o ddial yn ymddygiad y ciperiaid. Yn sicr 'roedd yn wybyddus yn lleol fod ciperiaid y Rhiwlas yn barod i ddial ar y rhai hynny oedd wedi tramgwyddo yn eu herbyn.

[42] *Y Faner*, 8 Ionawr, 1868.

[43] *Ibid.*

[44] *Ibid.* 18 Mawrth, 1868.

[45] *Ibid.* 21 Mawrth, 1868.

[46] *Y Dydd*, 13 Tachwedd, 1868.

[47] *Ibid.*

[48] *Y Faner*, 14 Tachwedd, 1868.

[49] Y pedwar oedd Ellis Roberts, a fu'n flaenor yng Nghefnddwysarn cyn symud i Frongoch; John Jones, Maesgadfa, blaenor yng nghapel Cwmtirmynach; John Jones, Nanthir, diacon gyda'r Annibynwyr yng nghapel Soar, Cwm Main a John Davies, Ty'n Llwyn, a edrychid arno fel aelod dylanwadol a darpar flaenor yng nghapel Pantglas.